L'humour
an

par

Jean Autret

Les langues pour tous

Collection dirigée par Jean-Pierre Berman, Michel Marcheteau et Michel Savio

ANGLAIS Série bilingue

Niveaux : ❑ facile (1er cycle) ❑❑ moyen (2e cycle) ❑❑❑ avancé

Littérature anglaise et irlandaise

- **Carroll (Lewis)** ❑
  Alice in Wonderland
- **Conan Doyle** ❑
  Nouvelles (4 volumes)
- **Fleming (Ian)** ❑❑
  James Bond en embuscade
- **Greene (Graham)** ❑❑
  Nouvelles
- **Jerome K. Jerome** ❑❑
  Three men in a boat
- **Mansfield (Katherine)** ❑❑❑
  Nouvelles
- **Masterton (Graham)** ❑❑
  Grief - The Heart of Helen Day
- **Wilde (Oscar)**
  Nouvelles ❑
  The Importance of being Earnest ❑❑
- **Wodehouse P.G.**
  Nouvelles ❑❑

Ouvrages thématiques

- **L'humour anglo-saxon** ❑
- **Science fiction** ❑❑

Littérature américaine

- **Bradbury (Ray)** ❑❑
  Nouvelles
- **Chandler (Raymond)** ❑❑
  Trouble is my business
- **Fitzgerald (Scott)** ❑❑❑
  Nouvelles
- **Hammett (Dashiell)** ❑❑
  Murders in Chinatown
- **Highsmith (Patricia)** ❑❑
  Nouvelles
- **Hitchcock (Alfred)** ❑❑
  Nouvelles
- **King (Stephen)** ❑❑
  Nouvelles
- **James (Henry)** ❑❑❑
  The Turn of the Screw
- **London (Jack)** ❑❑
  Nouvelles

Anthologies

- **Nouvelles US/GB** ❑❑ **(2 vol.)**
- **Les grands maîtres du fantastique** ❑❑
- **Nouvelles américaines classiques** ❑❑
- **Nouvelles britanniques classiques** ❑❑

Autres langues disponibles dans les séries de la collection
Langues pour tous

ALLEMAND - AMÉRICAIN - ARABE - CHINOIS - ESPAGNOL - FRANÇAIS - GREC - HÉBREU
ITALIEN - JAPONAIS - LATIN - NÉERLANDAIS - OCCITAN - POLONAIS - PORTUGAIS
RUSSE - TCHÈQUE - TURC - VIETNAMIEN

Nouvelle édition 2008 – ISBN : 978-2-266-13553-5

SOMMAIRE

Introduction

Il est généralement de bon ton, quand on présente un ouvrage de ce genre, de commencer par essayer de définir l'humour en s'efforçant, par exemple, de le distinguer de l'ironie. Partant du principe, à l'instar de **Mark Twain**, que « l'humour est comme une grenouille : il meurt dès qu'on se met à le disséquer », j'éviterai de me livrer à cet exercice pour m'attacher plutôt à expliquer au lecteur quelles ont été mes préoccupations en composant ce recueil humoristique.

Il s'agit en premier lieu de permettre à chacun de parfaire sa connaissance de la langue anglaise par une pratique précise du vocabulaire et des structures. C'est la raison pour laquelle je me suis fixé pour règle de diversifier au maximum les sujets et les styles tout en restant le plus possible dans le domaine de la vie de tous les jours.

Mais il ne faut pas que ce genre d'étude présente un caractère trop rébarbatif, et la meilleure façon de se distraire en apprenant consiste peut-être à se demander ce qui amuse les gens qui vivent dans le pays dont on apprend la langue. Et on constate alors, en ce qui concerne les Anglo-Saxons, qu'ils sont très friands d'histoires drôles et de citations humoristiques et qu'ils apprécient énormément les expressions imagées, les poèmes burlesques et les jeux de mots.

Pourtant, mon propos n'a pas été de donner un reflet exact et fidèle de toute la masse d'éléments considérés comme comiques par nos voisins d'outre-Manche. Cet ouvrage n'a aucune prétention psychologique ou sociologique. Ce n'est pas un tableau de l'humour anglais mais une sélection de ce qui, dans l'humour anglais, est susceptible d'amuser le lecteur français. Il s'agit donc nécessairement d'un choix purement personnel, mais, fort heureusement, j'ai pu constater à maintes reprises que ce qui me faisait rire ou sourire ne laissait pas indifférentes les personnes à qui je présentais ces plaisanteries.

Fallait-il pour autant laisser de côté tous les traits d'esprit basés sur les jeux de mots sous prétexte qu'ils sont intraduisibles en français dans quatre-vingt-dix-neuf pour cent des cas ? Dans un ouvrage monolingue, la réponse aurait été négative mais ici, dans la mesure où le texte anglais figure en face du français, avec des notes explicatives, je crois qu'il aurait été dommage de se priver de ce plaisir, d'autant que les calembours sont souvent très instructifs sur la manière dont les Anglais prononcent certains mots ou expressions que nous avons d'ailleurs fréquemment beaucoup de mal à comprendre.

Les sujets sont, là aussi, variés et classés par ordre alphabétique, pour plus de commodité. Quant aux auteurs de ces petits textes, ils appartiennent à toutes les époques, de **Shakespeare** à **Woody Allen**, et à tous les registres, de **Einstein** à **Benny Hill**.

Instruire et amuser, ces deux objectifs auraient suffi pour justifier l'intérêt d'un tel ouvrage. Mais il en est un troisième, très important selon moi, et qu'il serait dommage de passer sous silence.

Pour le voyageur, homme d'affaires ou touriste, qui entrera en contact avec des Anglais ou des Américains, ou des gens de différentes nationalités mais qui parlent anglais, il y aura dans ces pages une source précieuse d'éléments permettant de détendre l'atmosphère au cours d'une conversation, d'égayer un repas ou de donner un peu de tonus à une allocution que l'on doit prononcer à une occasion quelconque. Il va de soi que la partie française comporte déjà à elle seule suffisamment de matière pour atteindre cet objectif en France, avec des Français. Je suis d'ailleurs frappé par le nombre de traits d'esprit attribués à nos hommes politiques ou débités par nos plus populaires comiques de scène, qui ont été en fait empruntés à des auteurs anglo-saxons qui les avaient énoncés bien avant eux. La réciproque est sans doute vraie également dans la mesure où il n'est pas toujours facile d'identifier l'auteur d'une citation.

En ce qui me concerne, je me suis efforcé au maximum de mentionner le nom des auteurs, mais cela n'a malheureusement pas toujours été possible, c'est pourquoi un certain nombre de ces boutades sont restées anonymes.

J.A.

Après avoir enseigné l'anglais pendant de nombreuses années dans les classes du second cycle et préparatoires du lycée Corneille, à Rouen, Jean Autret se consacre désormais exclusivement à ses activités d'auteur et de traducteur.

Il est l'auteur de :

L'anglais par le jeu (Éditions Flammarion)
Jeux anglais pour la 6ᵉ (Magnard)
L'anglais en V.O., Classe de seconde
L'anglais en V.O., Classe de première
(Éditions Bordas), avec la collaboration de J.-P. Chéron.

Traductions : une cinquantaine d'ouvrages d'auteurs anglais ou américains (Jack Kerouac, James Baldwin, Kingsley Amis, Angus Wilson, etc.).

Dernières parutions :

Alicia, d'Alicia Appleman Jurman (Presses de la Renaissance) ; prix antiraciste pour l'année 1990.

Aux sources du Nil, de William Harrison (Presses de la Cité).

Une vie de Van Gogh, de David Sweetman (Presses de la Renaissance).

Notes

Nous n'avons pas jugé utile d'alourdir le texte français par une accumulation de notes explicatives. Les notes sont présentes dans deux cas :

1) Lorsqu'il y a un jeu de mots, pour préciser les différentes acceptions, permettant ainsi de rendre le texte compréhensible et de souligner le côté comique qu'il peut avoir en anglais.
2) Lorsque la traduction n'a pas pu être fidèle, car il a été parfois nécessaire de s'écarter légèrement du texte anglais. Par exemple, *platonic friendship* a été traduit par *amour platonique*, car c'est l'expression utilisée en français. Une note précise alors que **friendship** signifie *amitié*.

Abréviations utilisées dans l'ouvrage :

s.o. = someone, *quelqu'un, qq.*
sth. = something, *quelque chose, qqch.*

1

Advertising and advertisements

Publicité et annonces publicitaires

1 Advertising and advertisements

- Doing business without advertising is like winking at a girl in the dark. You know what you are doing but nobody else does. (Stuart Henderson Britt)

- The consumer is not a moron. She is your wife. (Advice to advertising copywriters, David Ogilvy.)

- Half the money spent by that company on advertising is wasted. The problem is to find out which half. *(The Times)*

- If you don't see what you want, you've come to the right place. (Sign in an optometrist's window.)

- "Dad, why does the company say: 'Our ketchup is good to the last drop?' Is there something wrong with the last drop?"

- Don't kill your wife with work. Let electricity do it.

- Beware! To touch these wires is instant death. Anyone found doing so will be prosecuted. (Sign board.)

- Midget seeks work — preferably as a stunt man.

1 Publicité et annonces publicitaires

- Quand on fait des affaires sans recourir à la publicité, cela revient à faire de l'œil à une jeune fille dans le noir. Vous savez ce que vous faites mais personne d'autre ne le sait.

  advertising : du verbe **to advertise**, le fait de *faire de la publicité*. **An advertisement** (abréviation **an ad** (US) / **advert** (G.B.) : *une annonce publicitaire*.

  to wink at s.o. : *faire un clin d'œil à qq.*

- Le consommateur n'est pas un imbécile. C'est votre femme. (Conseil donné à des auteurs de slogans publicitaires.)

  a moron : *un simple d'esprit, un crétin.*

- La moitié de l'argent dépensé en publicité par cette société est gaspillé. Le problème est de découvrir de quelle moitié il s'agit.

- Si vous ne voyez pas ce que vous voulez, vous êtes venu au bon endroit. (Écriteau à la devanture d'un opticien.)

  a window : *une fenêtre* mais aussi une *devanture,* une *vitrine* (cf. **to go window shopping :** *faire du lèche-vitrines).*

- « Papa, pourquoi la firme dit-elle : "Notre ketchup est bon jusqu'à la dernière goutte ?" Y a-t-il quelque chose qui cloche, dans la dernière goutte ? »

  Le petit garçon a compris : *« jusqu'à la dernière goutte, non incluse ».*

- Ne tuez pas votre femme au travail. Laissez l'électricité le faire.

  do it peut se comprendre : *faire le travail* mais aussi *le faire*, c'est-à-dire *la tuer*.

- Attention ! Toucher à ces fils provoque une mort instantanée. Quiconque sera pris à le faire sera poursuivi en justice. (Panneau.)

  instant, adj. : *instantané ;* cf. **instant coffee.**

- Nabot cherche emploi, de préférence comme cascadeur (ou avorton).

  Jeu de mots sur **stunt** qui signifie *acrobatie,* d'où **a stunt man :** *un cascadeur ;* mais aussi un *arrêt dans la croissance,* d'où un *avorton.*

1 Advertising and advertisements

- Advertising is the art of making whole lies out of half truths. (E.A. Shoaf)

- Samson had the right idea about advertising. He took two columns and brought down the house.

- Lion tamer — wants tamer lion.

- It used to be that people needed products to survive. Now *products* need people to survive.

- La publicité c'est l'art de faire des mensonges intégraux à partir de demi-vérités.

- Samson a eu la bonne idée en matière de publicité : il a pris deux colonnes et à fait écrouler l'édifice (créé la sensation).

  Jeu de mots sur **bring down the house.** Au sens propre, *abattre la maison,* au sens figuré, *faire crouler la salle sous les applaudissements.* **Columns** désigne les *colonnes du temple* mais peut aussi signifier les *colonnes d'un journal.*

- Dompteur de lion — cherche lion plus docile.

  Jeu de mots sur **tamer. To tame :** *apprivoiser, dresser ;* **a tamer :** *un dompteur.* **Tame,** adj. : *apprivoisé, soumis ;* **tamer**, comparatif : *plus docile.*

- Autrefois, les gens avaient besoin de produits pour survivre. Aujourd'hui, ce sont les *produits* qui ont besoin des gens pour survivre.

2

Age (middle, old)

L'âge (mûr, la vieillesse)

2 Age (middle, old)

- Anyone can get old. All you have to do is live long enough. (Groucho Marx)

- Middle age is that age in life when:

  ... having a choice of two temptations and choosing the one that will get you home earlier. (Dan Bennett)

  ... it is harder to find temptation than it is to resist it.

  ... you know all the answers, but nobody asks you the questions.

  ... a man is told to slow down by a doctor instead of a policeman. (S. Brady)

  ... we can do just as much as ever but would rather not.

  ... you want to see how long your car will last instead of how fast it will go.

  ... you are too young to take up golf and too old to rush up to the net. (F.P. Adams)

- Life begins at forty but so do lumbago, arthritis, bad eyesight and the habit of telling the same story three times to the same listeners.

- When a man falls into anecdotage it is a sign for him to retire from the world. (Disraeli)

- "I don't look forty-five, do I?"
  "No, but you sure did when you were."

- Old age is like everything else. To make a success of it you've got to start young. (Fred Astaire)

2 L'âge (mûr, la vieillesse)

- N'importe qui peut devenir vieux. La seule chose à faire c'est de vivre suffisamment longtemps.

- L'âge mûr, c'est la période de la vie où :

  ... ayant le choix entre deux tentations on choisit celle qui va permettre de rentrer plus tôt à la maison.

  ... il est plus difficile de trouver la tentation que d'y résister.

  ... vous connaissez toutes les réponses mais où personne ne vous pose les questions.

  ... si on vous dit de ralentir, c'est un médecin qui vous parle et non un agent de police.

  ... on peut faire autant de choses qu'avant, mais on préfère s'en abstenir.

  ... on veut voir combien de temps durera la voiture plutôt que de savoir quelle vitesse elle peut atteindre.

  ... vous êtes trop jeune pour vous mettre au golf mais trop vieux pour monter au filet.

- La vie commence à quarante ans tout comme le lumbago, l'arthrite, la mauvaise vue et l'habitude de raconter trois fois la même histoire aux mêmes interlocuteurs.

- Quand un homme tombe dans le radotage il doit y voir le signe qu'il est temps pour lui de se retirer du monde.

- « Je ne fais pas quarante-cinq ans, n'est-ce pas ?
  — Non, mais quand vous les aviez vous les faisiez incontestablement. »

- La vieillesse, c'est comme le reste. Pour la réussir il faut la commencer (quand on est) jeune.

2 Age (middle, old)

- Age is a question of mind over matter. If you don't mind it doesn't matter.

- Old age is not so bad when you consider the alternative. (H. Boorne)

- The consolation of being over forty is that you can no longer die young. (Hargrove).

- If I'd known I was going to live to be ninety, I'd have taken better care of myself.

- It's not being a grand-father that makes one feel old; it's being married to a grand-mother. (D. Griffith)

- L'âge, c'est surtout un état d'esprit. Si vous n'y prêtez pas attention, il n'a plus aucune importance.

  mind : *l'esprit.* **To mind** : *faire attention.* **Matter** : *la matière ;* **to matter** : *avoir de l'importance.*

- La vieillesse, ce n'est pas si mal quand on pense à l'autre (terme de l') alternative.

- Ce qui vous console quand vous avez dépassé quarante ans, c'est que vous ne pouvez plus mourir jeune.

- Si j'avais su que j'allais dépasser les quatre-vingt-dix ans, j'aurais pris davantage soin de moi.

- Ce n'est pas parce qu'on est grand-père qu'on se sent vieux. C'est le fait d'être marié à une grand-mère.

3

America and Americans

L'Amérique et les Américains

3 America and Americans

- America is a country that doesn't know where it is going but is determined to set a speed record getting there.

- America is a nation that conceives many odd inventions for getting somewhere but can think of nothing to do when it gets there. (W. Rogers)

- We don't know what we want, but we are ready to bite somebody to get it. (W. Rogers)

- Colombus discovered America for only one reason: he wanted to give Europe a place to borrow money from.

- In America, the young are always ready to give to those who are older than themselves the full benefits of their inexperience. (O. Wilde)

- Frustrate a Frenchman, he will drink himself to death; frustrate an Irishman, he will die of angry hypertension; a Dane, he will shoot himself; an American, he will get drunk, shoot you, then establish a million-dollar-aid program for your relatives. Then he will die of an ulcer. (Stanley Rudin)

- America is a land where a citizen will cross the ocean to fight for democracy... and won't cross the street to vote in a national election. (B. Vaughan)

- If American men are obsessed with money, American women are obsessed with weight. The men talk of gain, the women talk of loss, and I don't know which talk is the more boring. (Marya Mannes)

- There is nothing the matter with Americans, except their ideal; the real American is all right, it is the ideal American who is all wrong. (G.K. Chesterton)

3 L'Amérique et les Américains

- L'Amérique est un pays qui ne sait pas où il va mais qui est bien décidé à battre un record de vitesse en y allant.

- L'Amérique est une nation qui conçoit une foule d'inventions bizarres pour se rendre quelque part mais qui est incapable d'imaginer ce qu'elle pourrait y faire une fois arrivée sur place.

- Nous ne savons pas ce que nous voulons mais nous sommes prêts à mordre pour l'obtenir.

- La seule raison pour laquelle Christophe Colomb a découvert l'Amérique c'était de trouver un endroit où l'Europe pourrait emprunter de l'argent.

- En Amérique, les jeunes sont toujours prêts à faire profiter leurs aînés du fruit de leur inexpérience.

- Contrariez un Français, il s'enivrera à mort. Un Irlandais, il mourra d'hypertension dans un accès de colère ; un Danois, il se tuera d'une balle de revolver ; un Américain, il se soûlera, vous trucidera avec son revolver, et fera une donation d'un million de dollars pour venir en aide à votre famille. Après quoi, il mourra d'un ulcère.

- L'Amérique est un pays où un citoyen traversera l'océan afin de se battre pour la démocratie... et ne traversera pas la rue pour voter dans un scrutin national.

- Si les Américains sont obsédés par l'argent, les Américaines sont obsédées par le poids. Les hommes parlent de ce qu'ils gagnent et les femmes de ce qu'elles perdent. Des deux sujets, je ne sais pas lequel est le plus ennuyeux.

- On ne peut rien reprocher aux Américains à part leur idéal ; l'Américain réel est irréprochable, c'est l'Américain idéal qui fait tout de travers.

3 America and Americans

- We have really everything in common with America nowadays except, of course, language. (O. Wilde)
- Of course, America had often been discovered before Colombus, but it had always been hushed up. (O. Wilde)
- In America, the President reigns for four years, and journalism governs for ever and ever. (O. Wilde)
- America is so vast that almost everything said about it is likely to be true, and the opposite is probably equally true. (J.T. Farrell)
- In America you can always recognize the poor. They are the ones who drive and wash their own cars.
- An interviewer asked me what book I thought best represented the modern American woman. All I could think of to answer was *Madame Bovary*. (Mary Mc Carthy)

- Nous avons vraiment tout en commun avec l'Amérique aujourd'hui à l'exception, bien entendu, de la langue.
- Bien sûr l'Amérique avait souvent été découverte avant Christophe Colomb mais personne n'en avait parlé.

  to hush up : *étouffer* (un scandale).
- En Amérique, le Président reste quatre ans au pouvoir et les journaux gouvernent jusqu'à la fin des temps.
- L'Amérique est si vaste que tout ce qu'on peut dire à son sujet, ou presque, a de fortes chances d'être exact et le contraire est probablement vrai aussi.
- En Amérique, il est toujours facile de reconnaître les pauvres. Ce sont ceux qui conduisent et lavent eux-mêmes leur voiture.
- Un journaliste m'a demandé quel était le livre qui, à mon avis, représentait le mieux l'Américaine moderne. La seule réponse qui me soit venue à l'esprit, c'est *Madame Bovary*.

4

Books

Les livres

4 Books

- Your manuscript is both good and original; but the part that is good is not original and the part that is original is not good. (Samuel Johnson)

- A book is a success when people who haven't read it pretend they have.

- Lincoln once walked nine miles to borrow a book. Now they close the libraries on his birthday.

- My wife pleased me by laughing uproariously when reading the manuscript, only to inform me that it was my spelling that amused her. (Gerald Durrell)

- He is so infatuated with himself that he always takes two extra copies of his love letters. One for himself, the other for the British Museum.

- The chief knowledge that a man gets from reading books is the knowledge that very few of them are worth reading. (H.L. Mencken)

- The possession of a book becomes a substitute for reading it.

- The only book that really tells you where you can go on holiday is your check-book.

- No man but a blockhead ever wrote except for money. (S. Johnson)

- It took me fifteen years to discover I had no talent for writing, but I couldn't give up because by that time I was too famous. (Robert Benchley)

4 Les livres

- Votre manuscrit est à la fois bon et original mais la partie qui est bonne n'est pas originale et la partie qui est originale n'est pas bonne.

- Un livre est un succès quand les gens qui ne l'ont pas lu prétendent l'avoir lu.

- Lincoln a fait un jour près de quinze kilomètres à pied pour emprunter un livre. Maintenant, on ferme les bibliothèques le jour de son anniversaire.

- Ma femme m'a fait plaisir en riant bruyamment tout en lisant le manuscrit, tout cela pour me dire que c'était mon orthographe qui l'amusait.

  to spell : *épeler* ; **a spelling mistake** : *une faute d'orthographe.*

- Il est tellement imbu de lui-même qu'il fait toujours deux exemplaires supplémentaires de ses lettres d'amour. Un pour lui-même, l'autre pour le British Museum.

- L'information la plus importante qu'un homme puisse tirer de la lecture des livres c'est que très peu d'entre eux valent la peine d'être lus.

- La possession d'un livre devient un succédané de la lecture.

  a substitute : *un ersatz, un produit de remplacement.*

- Le seul livre qui vous dise vraiment où vous pouvez aller en vacances, c'est votre carnet de chèques.

  book signifie *carnet* dans un certain nombre d'expressions : **a book of stamps** : *un carnet de timbres,* **a book of tickets** : *un carnet de billets,* etc.

- Aucun homme, sauf le dernier des imbéciles, n'a jamais écrit pour autre chose que de l'argent.

  block : *billot ;* **blockhead** : *tête de bois.*

- Il m'a fallu quinze ans pour découvrir que je n'avais aucun talent d'écrivain, mais je n'ai pas pu renoncer car j'étais déjà devenu trop célèbre.

4 Books

- From the moment I picked it up until I laid it down, I was convulsed with laughter. Some day, I intend reading it. (Groucho Marx)

- There are books of which the backs and covers are by far the best parts. (C. Dickens)

- This is not a novel to be tossed aside lightly. It should be thrown with great force. (Dorothy Parker)

- I can read her face like a book, if I read between the lines.

- You may be able to read someone like a book but you can't shut him up as easily.

- Some people read because they are too lazy to think. The road to ignorance is paved with good editions. (G.B. Shaw)

- I never read a book before reviewing it; it prejudices a man so. (S. Smith)

- There are seventy million books in American libraries but the one you want to read is always out.

- My friends are nearly all poor arithmeticians but very good book-keepers.

- In America, only the successful writer is important. In France, all writers are important. In England, no writer is important. In Australia, you have to explain what a writer is.

4 Les livres

- Entre le moment où j'ai pris ce livre et celui où je l'ai reposé, je me suis tordu de rire. Un de ces jours, il faudra que je le lise.

- Il existe des livres dont le dos et la couverture sont de loin les meilleurs éléments.

- Ceci n'est pas un roman que l'on puisse mettre à l'écart avec légèreté. Il faut le jeter avec une grande force.

- Je peux lire son visage comme un livre, à condition de lire entre les lignes (rides).

- Peut-être pouvez-vous lire (en) quelqu'un comme (dans) un livre, mais vous ne pouvez pas le refermer (faire taire) aussi facilement.

- Certaines personnes lisent parce qu'elles sont trop paresseuses pour réfléchir. Le chemin de l'ignorance est pavé de bonnes éditions.

- Je ne lis jamais un livre avant d'en faire la critique ; cela me donnerait trop d'idées préconçues.

  a prejudice : *un préjugé.*

- Il y a soixante-dix millions de livres dans les bibliothèques américaines mais celui que vous voulez lire est toujours sorti.

- Mes amis sont presque tous des arithméticiens médiocres mais ce sont de très bons comptables.

  a book-keeper peut aussi se comprendre : *quelqu'un qui garde les livres qu'on lui a prêtés.*

- En Amérique, seul l'écrivain qui a du succès est important. En France, tous les écrivains sont importants. En Angleterre, aucun écrivain n'est important. En Australie, il faut expliquer ce qu'est un écrivain.

4 Books

- He was so worried when he read somewhere that smoking could cause cancer that he gave up reading. (Anna M. Kirwan)

- Il a été si inquiet quand il a lu quelque part que fumer pouvait provoquer le cancer qu'il a abandonné la lecture.

5

Cars (pedestrians, parking, roads, taxis)

Les voitures (piétons, parking, routes, taxis)

5 Cars (pedestrians, parking, roads, taxis)

- The most dangerous part of a car is the nut that holds the steering wheel. (Particularly if that nut is tight.)

- Road maps tell the motorists a lot except how to fold them up again.

- I've got a car for three people: one drives and two push.

- Every time my car passes a junk yard, it gets homesick.

- The only part that doesn't make a noise is the hooter.

- But it's very economical: it only uses oil when the motor is running.

- As the mechanic said yesterday: "If I were you, I'd keep the oil and change the car."

- Most automobiles are paid for as they are used, but sometimes not so speedily.

- The purpose of drive-in banks is to make it possible for cars to meet their real owners.

- Most people buy a new car because they have to pay cash on the bus.

5 Les voitures (piétons, parking, routes, taxis)

- 1) La pièce la plus dangereuse d'une voiture, c'est l'écrou qui tient le volant. (Surtout si cet écrou est serré.)
  2) L'élément le plus dangereux d'une voiture, c'est l'imbécile qui tient le volant, surtout si cet imbécile a bu un verre de trop.

  a part : *une partie,* mais aussi *une pièce* (de voiture) ;
  a nut : *un écrou ;* **to be nut(s) :** *être timbré, dingue ;*
  as nutty as a fruit-cake : *complètement loufoque ;*
  tight : *serré,* mais également : *ivre.*

- Les cartes routières apprennent beaucoup de choses aux automobilistes sauf la façon de les replier (après usage).

- J'ai une voiture pour trois personnes : une qui conduit et deux qui poussent.

- À chaque fois que ma voiture passe devant l'entrepôt d'un marchand de ferraille, elle a le mal du pays.

- Le seul élément qui ne fasse pas de bruit, c'est le klaxon.

  to make <u>a</u> noise : *faire du bruit.*

- Mais elle est très économique : elle ne consomme de l'huile que quand le moteur tourne.

  to run : *courir* mais aussi *marcher, tourner* pour un moteur.

- Comme l'a dit le garagiste hier : « Si j'étais à votre place, je garderais l'huile et je changerais de voiture. »

  to change the oil : *faire la vidange.*

- La plupart des automobilistes paient leur voiture tout en l'utilisant, mais parfois ils le font moins vite.

  to pay s.o. : *payer qq.* **To pay for something :** *payer, régler qqch. que l'on a acheté.*

- Le but des banques « drive-in » (que l'automobiliste peut utiliser en restant au volant), c'est de permettre aux voitures de rencontrer leur véritable propriétaire.

- La plupart des gens achètent une nouvelle voiture parce que, dans le bus, il faut qu'ils paient comptant.

5 Cars (pedestrians, parking, roads, taxis)

- Until 1985, I never had an accident. Then, I bought a car...

- My new car has something that will last a life time: monthly payments.

- It's the overtakers who make work for the undertakers.

- "How did you get that puncture?" "Ran over a milk bottle."
  "But why didn't you see it?" "Because a stupid kid had it under his coat."
- It's better to be a few minutes late than arrive dead on time.

- Prevent accidents: start doing things deliberately.

- Traffic is so slow in London that if you want to hit a pedestrian you have to get out of your car. (A. Glasgow)

- What's a pedestrian? One who is kept in good running condition by motorists.

- The only moment when the pedestrian has the right of way is after he's placed in an ambulance.

5 Les voitures (piétons, parking, routes, taxis)

- Jusqu'en 1985 je n'avais jamais eu d'accidents. Et puis, j'ai acheté une voiture...

- Ma voiture a quelque chose qui va durer toute la vie : les mensualités.

- Ce sont ceux qui vous doublent qui donnent du travail aux croque-morts.

- « Comment as-tu eu cette crevaison ? — J'ai écrasé une bouteille de lait. — Mais comment se fait-il que tu ne l'aies pas vue ? — Parce qu'un gosse stupide l'avait sous sa veste. »

- Il vaut mieux avoir quelques minutes de retard que d'arriver pile à l'heure (mort à l'heure).

  dead : *mort*, peut avoir également parfois un sens adverbial : *complètement*. Ex. : **he is dead sure, dead asleep, dead broke,** etc.

- Évitez les accidents : commencez à faire les choses délibérément.

- La circulation est si lente à Londres que si vous voulez renverser (heurter) un piéton vous êtes obligé de descendre de voiture.

  to get out of a car : *descendre de voiture.*

- Qu'est-ce qu'un piéton ? Quelqu'un qui est maintenu en bon état de marche par les automobilistes.

  in good running condition : *en bon état de fonctionnement,* mais **to run** veut aussi dire *courir*. Donc *quelqu'un que les automobilistes obligent à courir.*

- Le seul moment où le piéton a la priorité c'est après qu'il a été placé dans une ambulance.

5 Cars (pedestrians, parking, roads, taxis)

- Taxi: vehicle that always seems to dissolve in the rain.

- The first thing that strikes a visitor to Paris is a taxi.

- Epitaph on a jay walker:

  Here lies the remains of Thomas Jay
  Who thought he had the right of way
  He was right, dead right as he walked along
  But he's just as dead as if he'd been wrong.

- Taxi : véhicule qui donne toujours l'impression de disparaître dès qu'il se met à pleuvoir.

  to dissolve : *fondre, se dissoudre.* **In the rain :** *sous la pluie.*

- La première chose qui frappe/heurte un visiteur à Paris, c'est un taxi.

- Épitaphe pour un piéton trop hardi :

  Ci-gît la dépouille de Thomas Jay
  Qui pensait avoir la priorité
  Il avait raison, tout à fait raison de continuer (à traverser)
  Mais il est tout aussi mort que s'il avait eu tort.

  a jay : *un geai,* et familièrement, *une personne stupide* ou *bavarde ;*
  a jay walker : *un piéton qui traverse n'importe où.*

6

Children

Les enfants

6 Children

- My mother loved children. She would have given anything if I had been one. (Groucho Marx)

- Parents are the last people on earth who ought to have children. (Samuel Butler)

- People who say they sleep like a baby usually don't have one.

- We have three children. My wife refuses to have a fourth as she has heard that every fourth child is Chinese.

- A boy's voice changes when he becomes a man. A girl's voice changes when she becomes a wife.

- I am very fond of children, especially girl children of about sixteen or seventeen years old. (W.C. Fields)

- I think when they grow up, my three sons are going to be waiters. They never come when I call them.

- A mother takes twenty years to make a man of her boy and another woman makes a fool of him in twenty minutes.

- Children are a great comfort in your old age. And they help you to reach it faster.

6 Les enfants

- Ma mère adorait les enfants. Elle aurait donné n'importe quoi si j'en avais été un.

- Les parents sont les dernières personnes sur terre qui devraient avoir des enfants.

- Les gens qui prétendent dormir comme un bébé n'en ont généralement pas.

- Nous avons trois enfants. Ma femme refuse d'en avoir un quatrième car elle a lu qu'un enfant sur quatre est Chinois.

- La voix d'un garçon change quand il devient un homme. La voix d'une fille change quand elle devient une femme mariée.

- J'aime beaucoup les enfants, en particulier les filles d'environ seize ou dix-sept ans.

- Je crois que quand ils seront grands mes trois fils vont se faire serveurs. Ils ne viennent jamais quand je les appelle.

- Il faut à une mère vingt ans pour faire de son enfant un homme et il ne faut à une autre femme que vingt minutes pour le faire tourner en bourrique.

- Les enfants sont d'un grand réconfort pendant votre vieillesse ; et ils vous aident à l'atteindre plus vite.

6 Children

- You can tell a child is growing old when he stops asking where he came from and starts refusing to tell where he is going.

- My children are now at the perfect age. Too old to cry and too young to swear.

- This child is ready to run away from home. As soon as his parents get one.

- Parents don't bring up children any more; they finance them.

- Anybody that hates children and dogs can't be *all* bad. (W.C. Fields)

- On s'aperçoit qu'un enfant grandit quand il cesse de demander d'où il vient et commence à refuser de dire où il va.

- Mes enfants sont maintenant à l'âge idéal. Trop grands pour pleurer et trop jeunes pour jurer.

- Cet enfant est prêt à s'enfuir de la maison. Aussitôt que ses parents en auront une.

- Les parents n'élèvent plus les enfants ; ils les financent.

- Tout être humain qui déteste les enfants et les chiens ne peut être foncièrement mauvais.

7

Death
La mort

7 Death

- It's not that I'm afraid to die, I just don't want to be there when it happens. (Woody Allen)

- Either this man is dead or my watch has stopped! (Groucho Marx)

- I'm ready to meet my Maker. Whether my Maker is prepared for the ordeal of meeting me is another matter. (Winston Churchill)

- On the telephone:
  "Did you see the announcement of my death in the morning paper?"
  "Yes, I did. Where are you calling from?"

- Well, in fact the reports of my death are greatly exaggerated. (Mark Twain)

- Die? It's the last thing I'll ever do! (Lord Palmerston)

- Waldo is one of those persons who would be enormously improved by death. (Saki)

- "This looks a healthy village. Do people often die here?"
  "No. Only once." (Billy Burden)

- If you don't go to people's funerals they won't come to yours!

- I am dying, as I have lived. Beyond my means. (Oscar Wilde)

7 La mort

- Ce n'est pas que j'aie peur de mourir ; simplement, je ne veux pas être là quand ça arrivera.

  happens est au présent car **when**, conjonction de temps, ne peut être suivi du futur.

- Ou bien cet homme est mort, ou bien ma montre est arrêtée.

- Je suis prêt à rencontrer le Créateur. Est-il prêt à affronter l'épreuve de me rencontrer, c'est une autre histoire.

- Au téléphone :
  « As-tu vu l'annonce de ma mort dans le journal de ce matin ?
  — Oui. D'où est-ce que tu appelles ? »

- Eh bien, en fait, la nouvelle de mon décès est très exagérée.

- Mourir ? C'est la dernière chose que je ferai jamais.

- Waldo est l'une de ces personnes qui s'amélioreraient énormément en mourant.

- « Ce village a l'air très sain. Les gens meurent souvent ici ?
  — Non, seulement une fois. »

- Si vous n'allez pas à l'enterrement des gens, ils ne viendront pas au vôtre.

- Je meurs comme j'ai vécu. Au-dessus de mes moyens.

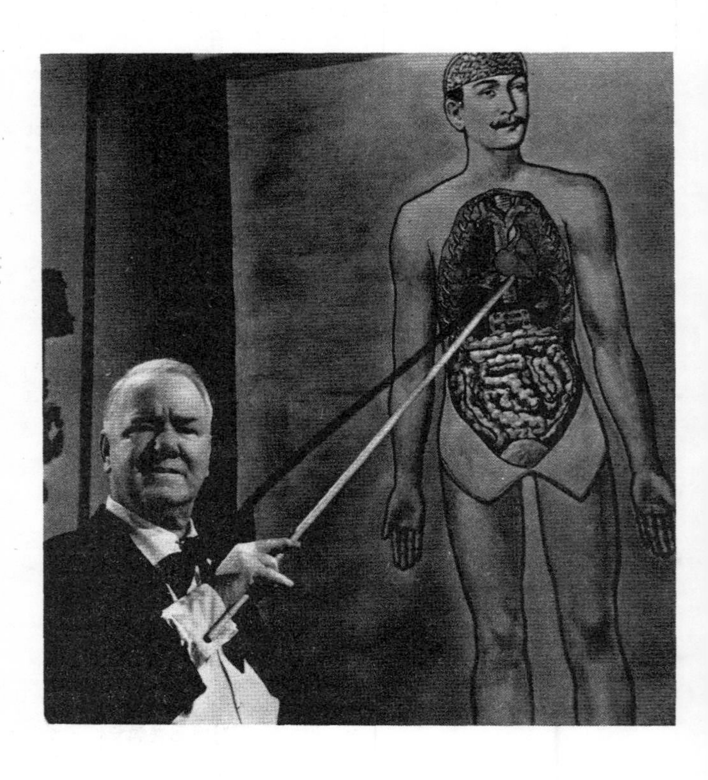

8

Doctors (and dentists...)

Les médecins (et les dentistes...)

8 Doctors (and dentists...)

- Doctors are men who prescribe medicines of which they know little to cure diseases of which they know less, in human beings of whom they know nothing.

- "Did your father die a natural death, Mrs White?" "Oh, no! He had a doctor."

- Specialist: a doctor whose patients are supposed to be ill only during office hours.

- "Her son is a naval surgeon."
"Really ? How doctors specialise nowadays!"

- It is almost impossible to find a doctor who is poor, even though there are so many poor doctors.

- God heals and the doctor takes the fee. (Benjamin Franklin)

- A dentist is a prestidigitator who puts metal in your mouth and pulls coins out of your pocket. (Ambrose Bierce)

- Epitaph (on a dentist's tomb):
  Stranger approach this spot with gravity;
  John Birmingham is filling his last cavity.

- Some doctors tell their patients the bad news, man to man; others prefer to send the bill by post.

- Does a doctor's doctor doctor the other doctor according to his own doctoring or does the doctor doing the doctoring doctor the other doctor according to the doctored doctor's doctoring doctrine?

8 Les médecins (et les dentistes...)

- Les docteurs sont des gens qui prescrivent des médicaments dont ils savent peu de choses pour guérir des maladies dont ils savent encore moins à des êtres humains dont ils ne savent rien.

- « Votre père est-il décédé de mort naturelle, Mrs White ?
— Oh, non ! il avait un docteur. »

- Spécialiste : docteur dont les patients ne sont censés être malades que pendant les heures de bureau.

- « Son fils est chirurgien dans la marine.
— Vraiment ? C'est fou ce que les docteurs se spécialisent à l'heure actuelle ! »

  Jeu de mots très classique sur **naval** qui se prononce exactement comme **navel** qui signifie *nombril*. **Naval surgeon** a été compris comme *« chirurgien spécialisé dans les maladies du nombril »*.

- Il est presque impossible de trouver un docteur qui soit pauvre bien qu'il y ait beaucoup de docteurs médiocres.

  poor peut signifier également *médiocre*. **A poor driver** : *un mauvais conducteur*.

- C'est Dieu qui guérit mais c'est le docteur qui empoche les honoraires.

- Un dentiste est un prestidigitateur qui vous met du métal dans la bouche et tire les pièces de monnaie de votre poche.

- Épitaphe (sur la tombe d'un dentiste) :

  Étranger, approche-toi de ce lieu avec gravité
  John Birmingham est en train de remplir sa dernière cavité.

- Certains docteurs annoncent à leurs malades la mauvaise nouvelle d'homme à homme ; d'autres préfèrent envoyer leur note par la poste.

- Est-ce que le docteur d'un docteur soigne l'autre docteur selon ses propres méthodes ou le docteur qui administre les soins traite-t-il l'autre docteur selon la méthode médicale du docteur qu'il soigne ?

8 Doctors (and dentists...)

- A hospital should also have a recovery room adjoining the cashier's office. (Francis O'Walshe)

- I can't pay your bill, doctor. I slowed down as you told me and I lost my job!

- When I was young and full of life
  I loved the local doctor's wife
  And I ate an apple every day
  To keep the doctor far away.
  (Thomas Lamont)

- A doctor is a professional man who suffers from good health.

- Those new miracle drugs are so wonderful. Now a doctor can keep his patient alive long enough to pay the bill.

- A drug is a substance that when injected into a guinea pig produces a scientific paper.

- "Did the operation go all right, John?"
  "Yes. I could do it in the nick of time. If I had waited longer, the patient would have recovered without it."

- Consultant: A colleague who is called in at the last moment to share the blame.

8 Les médecins (et les dentistes...)

- Un hôpital devrait avoir une salle de réanimation près du bureau du caissier.

- Je ne peux pas payer votre note, docteur, j'ai ralenti mes efforts, comme vous me l'aviez dit, et j'ai perdu mon emploi.

- Quand j'étais jeune et plein de vie
  J'aimais la femme du docteur local
  Et je mangeais une pomme chaque jour
  Pour que le docteur reste très loin.

  Proverbe très connu : **an apple a day keeps the doctor away :** *en mangeant une pomme par jour, on n'a pas besoin de médecin.*

- Un docteur est un membre d'une profession libérale que la bonne santé fait souffrir.

- Ces nouveaux médicaments miracles sont vraiment merveilleux. Maintenant les docteurs peuvent maintenir leurs malades en vie suffisamment longtemps pour qu'ils puissent régler leurs honoraires.

- Un médicament est une substance qui, lorsqu'elle a été injectée à un cobaye, produit un rapport scientifique.

- « L'opération s'est-elle bien passée, John ?
  — Oui. Je suis parvenu à la faire juste à temps. Si j'avais attendu davantage, le malade aurait guéri sans (qu'on l'opère). »

- Médecin consultant : Un collègue que l'on fait venir au dernier moment pour qu'il prenne une part des responsabilités.

  to share : *partager.*

9

Dogs (and other animals)
Les chiens (et autres animaux)

9 Dogs (and other animals)

- Perhaps it's only coincidence, but man's best friend can't talk. (Jimmy Connors)

- A dog has so many friends because he wags his tail instead of his tongue.

- A dog is the only thing on earth that loves you more than you love yourself. (J. Billings)

- To his dog every man is Napoleon; hence the constant popularity of dogs. (Aldous Huxley)

- The noblest of dogs is the hot-dog. It feeds the hand that bites it.

- "Your dog barked all night!"
  "Yes, but don't worry, he sleeps all day."

- Of course I know the saying: "A barking dog never bites", but does your dog know it?

- A cat: A soft, indestructible automaton provided by nature to be kicked when things go wrong in the domestic circle. (Ambrose Bierce)

- The mouse is an animal which killed in sufficient numbers under carefully controlled conditions, will produce a Ph. D. thesis.

- Zoo: a place devised for animals to study the habits of human beings.

9 Les chiens (et autres animaux)

- C'est peut-être uniquement une coïncidence mais le meilleur ami de l'homme n'est pas capable de parler.

- Si un chien a autant d'amis, c'est parce qu'il se contente d'agiter la queue au lieu de faire marcher sa langue.

- Le chien est le seul être au monde qui vous aime plus que vous ne vous aimez vous-même.

- Au yeux de son chien, tout homme est Napoléon. D'où la constante popularité des chiens.

- Le plus noble des chiens est le hot-dog. Il nourrit la main qui le mord.

  On emploie souvent l'expression : **he bites the hand that feeds him :** *il mord la main qui le nourrit,* pour désigner quelqu'un d'ingrat.

- « Votre chien a aboyé toute la nuit !
  — Oui, mais ne vous inquiétez pas ! Il dort toute la journée. »

- Bien sûr que je connais le dicton : « Chien qui aboie ne mord pas », mais votre chien le connaît-il, lui ?

- Chat : Automate doux (au toucher) et indestructible fourni par la nature pour recevoir des coups de pied quand il y a quelque chose qui ne va pas dans le milieu familial.

- La souris est un animal qui, si on le tue en nombre suffisant, dans des conditions soigneusement contrôlées, produira une thèse de doctorat.

  Ph. D. : abréviation de **Philosophy doctorate.**

- Zoo : endroit conçu pour que les animaux puissent étudier les habitudes des êtres humains.

9 Dogs (and other animals)

- "Do you know how to make a slow horse fast?"
  "No. Do you?"
  "Yes. Just don't give him anything to eat."

- Odd things, animals. All dogs look up to you. All cats look down to you. Only a pig looks at you as an equal. (Winston Churchill)

- « Savez-vous comment accélérer l'allure d'un cheval (qui est) lent ?
  — Non. Et vous ?
  — Oui. Il suffit de ne rien lui donner à manger. »

  fast, adj. : *rapide ;* **to fast :** *jeûner.* **To make... fast :** *faire jeûner.* (Cf. **breakfast**.)

- Des êtres bizarres, les animaux. Les chiens vous regardent tous avec vénération. Les chats vous toisent tous avec dédain. Il n'y a que les cochons qui vous considèrent comme des égaux.

10

Drinking
Boire

10 Drinking

- A woman drove me to drink and I never even had the courtesy to thank her. — Maybe she wanted me to belong to the A.A.A.A.A.? (W.C. Fields)

- I drink like a fish, but not the same thing.

- Mind you, I never drink unless I am alone... or with somebody. But I'm not a steady drinker: my hand shakes too much.

- My wife never realised I drank until she saw me sober. (R. Jansen)

- Once I took a ladder to a party: they had told me the drinks were on the house.

- I don't care how bad their English is as long as their Scotch is good.

- As a matter of fact, if I drink it's because I want to forget I drink.

- Once I saw a chap with a very serious drinking problem: he had no money for drinks. (T. April)

- He is the only man I know who blows on his birthday cake to *light* the candles.

- But I never drink anything stronger than gin before breakfast. Daddy often sits up very late working on a case of Scotch. (W.C. Fields)

10 Boire

- C'est une femme qui m'a amené à boire et je n'ai même pas eu la politesse de la remercier. — Peut-être voulait-elle que je devienne membre de l'A.A.A.A.A.

  A.A. : Alcoholic Anonymous (organisme qui vient en aide aux alcooliques). **A.A.A. : American Automobile Association ; to drive :** *conduire* mais aussi *pousser à faire qqch.*

- Je bois comme un poisson, mais pas la même chose.

  to drink like a fish : *boire comme un trou.*

- Attention, je ne bois jamais, sauf si je suis seul... ou avec quelqu'un. Mais je ne bois pas de façon continue (suis pas un buveur solide, stable) ma main tremble trop.

- Ma femme ne s'était jamais rendu compte que je buvais, jusqu'au jour où elle m'a vu à jeun.

- Un jour, j'ai pris une échelle pour aller à une soirée ; on m'avait dit que les bouteilles étaient sur le toit.

  on the house signifie en fait : *c'est la maison qui régale.*

- Je me moque bien de savoir si leur anglais est mauvais, du moment que leur scotch est bon.

  Scotch : *Ecossais.*

- En fait, si je bois c'est parce que je veux oublier que je bois.

- Un jour, j'ai vu un gars qui avait un très grave problème avec la boisson : il n'avait pas d'argent pour se payer à boire.

- Il est le seul homme de ma connaissance qui souffle sur son gâteau d'anniversaire pour *allumer* les bougies.

- Mais je ne bois jamais rien de plus fort que le gin avant le petit déjeuner. Papa, lui, veille souvent très tard, il s'explique avec une caisse de scotch.

  to work on a case peut également se comprendre : *travailler à une affaire judiciaire.*

10 Drinking

- Actually it only takes one drink to get me loaded. The trouble is I can't remember if it's the thirteenth or the fourteenth. (G. Burns)

- As I always say: a straight line is the shortest distance between two pints. (J.F. Ball)

- They say that if you don't smoke, don't drink and don't go out with women, you live longer. Actually it only *seems* longer. (Mark Twain)

- But I'm not an alcoholic. An alcoholic is someone you don't like who drinks as much as you do. (Dylan Thomas)

- In the last century you would have said he was absinthe-minded.

- Now, I'm watching my drinking. I only visit bars with mirrors.

- I don't like drinking before driving: it's putting the quart before the hearse.

- Prohibition is like communism: it's a good idea but it won't work.

10 Boire

• En fait un seul verre suffit pour me soûler. Le problème c'est que je n'arrive pas à me rappeler si c'est le treizième ou le quatorzième.

• Comme je le dis toujours : la ligne droite est le plus court chemin entre deux pintes.

En anglais populaire, **pint** se prononce comme **point**.

• Ils disent que si vous ne fumez pas, si vous ne buvez pas, et si vous n'allez pas avec les femmes, vous vivez plus longtemps. En fait, la vie *semble* seulement plus longue.

• Mais je ne suis pas un alcoolique. Un alcoolique, c'est quelqu'un qui ne vous est pas sympathique et qui boit autant que vous.

• Au siècle dernier, on aurait dit qu'il était porté sur l'absinthe.

Jeu de mots sur **absinthe** et **absent** qui se prononcent de la même manière. **Absent-minded** signifie *distrait, qui a l'esprit ailleurs.*

• Maintenant, je surveille ma consommation d'alcool. Je ne vais plus que dans les bars où il y a des miroirs.

• Je n'aime pas boire avant de conduire. Cela revient à mettre le litre devant le fourgon mortuaire.

Jeu de mots assez approximatif : **a quart** prononcé à peu près comme **cart :** *charrette,* et **hearse** comme **horse. To put the cart before the horse :** *mettre la charrue avant les bœufs.*

• La prohibition, c'est comme le communisme : c'est une bonne idée mais ça ne marche pas.

10 Drinking

- Though water taken in moderation can't hurt anybody. I'm not like Peter: he is such a heavy drinker he didn't realise the water was cut off for two months. (Mark Twain)

- As Noah used to say to his wife: "I don't care where the water goes if it doesn't get into the wine." (G.K. Chesterton)

- What's an abstainer after all? A weak person who yields to temptation of denying himself a pleasure. (Ambrose Bierce)

- Pourtant, l'eau, bue avec modération, ne peut faire de mal à personne. Je ne suis pas comme Peter : il est tellement porté sur l'alcool qu'il n'avait pas réalisé qu'on lui avait coupé l'eau depuis deux mois.

- Comme Noé le disait à sa femme : « Je me moque bien (de savoir) où va l'eau, du moment qu'elle ne va pas dans le vin. »

- Qu'est-ce qu'un abstinent après tout ? Un être faible qui cède à la tentation de se refuser un plaisir.

11

England and the English
L'Angleterre et les Anglais

11 England and the English

- The world is inhabited by two species of human beings: mankind and the English. (Dr G.J. Renier)

- The people of England are never so happy as when you tell them they are ruined. (E.W. Mumford)

- In dealing with Englishmen you can be sure of one thing only, that the logical solution will not be adopted. (W.R. Inge)

- An Englishman is never so natural as when he is holding his tongue. (Henry James)

- Englishmen never will be slaves; they are free to do whatever the government and public opinion allow them to do. (G.B. Shaw)

- The English public takes no interest in a work of art until it is told that the work in question is immoral. (O. Wilde)

- The English may not like music, but they absolutely love the noise it makes. (Sir Thomas Beecham)

- The English winter: ending in July/to recommence in August. (Byron)

- The climate of England has been the world's most powerful colonizing impulse. (Russell Green)

- On the continent, people have good food. In England people have good table manners. (G. Mikes)

- ... They warm their beers and chill their baths, and boil all their food, including bread. (P.J. O'Rourke)

- English food, it's quite easy. When it's warm, it's beer. If it's cold, it's soup.

11 L'Angleterre et les Anglais

• Le monde est habité par deux sortes d'êtres humains : l'espèce humaine et les Anglais.

• Les Anglais ne sont jamais aussi heureux que lorsqu'on leur dit qu'ils sont ruinés.

• Quand vous avez affaire à des Anglais, la seule certitude que vous puissiez avoir c'est que la solution logique ne sera jamais adoptée.

• Un Anglais n'est jamais aussi naturel que lorsqu'il reste bouche cousue.

to hold one's tongue : *tenir sa langue.*

• Les Anglais ne seront jamais des esclaves ; ils sont libres de faire tout ce que le gouvernement et l'opinion publique leur permettent.

• Le public anglais n'éprouve aucun intérêt pour une œuvre d'art jusqu'au moment où on lui dit que l'œuvre en question est immorale.

• Les Anglais n'aiment peut-être pas la musique mais ils adorent le bruit qu'elle fait.

• L'hiver anglais : il se termine en juillet pour recommencer en août.

• Le climat de l'Angleterre a été la force colonisatrice la plus puissante du monde.

• Sur le continent, on a de la bonne nourriture. En Angleterre, on sait se tenir bien à table.

• ... Ils tiédissent leur bière et refroidissent leurs bains, et ils font bouillir tout ce qu'ils mangent, y compris le pain.

• La nourriture anglaise, c'est très facile. Quand c'est chaud, c'est de la bière ; si c'est froid, c'est de la soupe.

11 England and the English

- England and America are two countries separated by the same language. (G.B. Shaw)

- Many may wonder how the English acquired their reputation of not working as hard as most continentals. I am able to solve the mystery. They acquired this reputation by not working as hard. (George Mikes)

- London is a splendid place to live for those who can get out of it. (Lord Balfour of Burleigh)

- Hell is a place where the motorists are French, the policemen are German, and the cooks are English. (L.J. Peter)

- L'Angleterre et l'Amérique sont deux pays séparés par la même langue.

- Il y en a beaucoup qui se demandent comment les Anglais se sont acquis la réputation de ne pas travailler autant que la plupart des continentaux. Je suis à même de résoudre ce mystère. Ils se sont acquis cette réputation en travaillant moins (que les continentaux).

- Londres est un lieu de séjour splendide, à condition de pouvoir en sortir.

- L'enfer, c'est un endroit où les automobilistes sont français, les policiers allemands et les cuisiniers anglais.

12

Films and acting
Films et acteurs

12 Films and acting

- *Hollywood*: A place where they shoot too many pictures and not enough actors. (W. Winchell)

- An actor is a guy who, if you ain't talking about him, ain't listening. (Marlon Brando)

- I never said all actors are cattle. What I said was all actors should be treated like cattle. (Alfred Hitchcock)

- In Hollywood a celebrity is one who works all his life in order to be well-known and then goes through back streets wearing dark glasses to avoid being recognized. (Fred Allen)
- That movie was quite refreshing. I felt like a new man when I woke up.

- The length of a film should be directly related to the endurance of a human bladder. (Alfred Hitchcock)
- Sometimes the hero in the movie is the one who sits through it. I've had several years in Hollywood and I still think the movie heroes are in the audience. (W. Mizner)
- The picture was so bad we had to sit through it four times to get our money's worth.

- This is the best play I ever slept through. (Oscar Wilde)

- The play was a success but the audience was a failure. (Oscar Wilde)

- I didn't like the play but then I saw it under adverse conditions : the curtain was up. (Moreover the actors enunciated very clearly.) (Groucho Marx)

12 Films et acteurs

- *Hollywood* : Un endroit où on tourne trop de films et où on ne tire pas assez sur les acteurs.

  to shoot : *tirer* (un coup de feu), mais aussi *filmer.*

- Un acteur, c'est un gars qui, si tu parles pas de lui, il t'écoute pas.

  ain't : is not en anglais très familier.

- Je n'ai jamais dit que tous les acteurs étaient du bétail. Ce que j'ai dit, c'est qu'il faudrait que tous les acteurs soient traités comme du bétail.

- À Hollywood, une vedette est quelqu'un qui travaille toute sa vie pour atteindre la notoriété et qui ensuite (ne) va (que) dans les petites rues en portant des lunettes noires pour éviter d'être reconnu.

- Ce film m'a bien requinqué. J'étais un tout autre homme en me réveillant.

  to refresh : *redonner des forces ; revigorer.*

- La longueur d'un film devrait être directement fonction de l'endurance de la vessie humaine.

- Parfois, le héros du film c'est celui qui reste jusqu'au bout dans son fauteuil. Après plusieurs années passées à Hollywood, je pense toujours que les héros des films se trouvent dans le public.

- Le film était si mauvais que nous avons été obligés de le voir quatre fois afin d'en avoir pour notre argent.

  to sit through : *rester* (assis) *jusqu'au bout.*

- Cette pièce est la meilleure de toutes celles qui m'aient permis de dormir pendant la totalité de la représentation.

- La pièce était un succès mais le public était au-dessous de tout.

  a failure : *un échec ; un « four ».*

- Je n'ai pas aimé la pièce, mais je l'ai vue dans des conditions défavorables : le rideau était levé. (En outre les acteurs articulaient très clairement.)

12 Films and acting

- "Why do you keep applauding such a poor play?"
  "To keep awake."

- "How are the acoustics in the new theatre?"
  "Splendid. The actors can hear every cough."

- There are two kinds of directors... Those who think they are God and those who are certain of it. (Thetta Hughes)

- Shoot a few scenes out of focus. I want you to win the foreign film award. (Billy Wilder, to a cameraman)

- "Just say your lines and don't bump into the furniture." (Sir Noel Coward's advice to a young actor)

- « Pourquoi applaudissez-vous sans arrêt une pièce aussi médiocre ?
  — Pour me maintenir éveillé. »

- « Comment est l'acoustique dans ce nouveau théâtre ?
  — Splendide. Les acteurs entendent tous les gens qui toussent. »

- Il y a deux sortes de metteurs en scène : ceux qui croient être Dieu et ceux qui en sont sûrs.

- Filme quelques scènes de manière que l'image soit floue. Je veux que tu remportes l'oscar du meilleur film étranger.

  out of focus : *pas au point, mal réglé ;* **an award :** *une récompense* (pour un film, une œuvre d'art).

- « Contentez-vous de dire votre texte en évitant de vous cogner dans les meubles. » (Conseil de Noël Coward à un jeune acteur.)

13

Food
La nourriture

13 Food

- I like to eat in places where they have a juke-box. Sometimes the music helps you forget the food and sometimes the food helps you forget the music.

- Before an exploration, choose your companions carefully; you may have to eat them. (W.C. Sellar and R.J. Yeatman)
- A gourmet is just a glutton with brains. (P.W. Haberman)
- There's only one thing more exasperating than a wife who can cook and won't and that's the wife who can't cook and will. (Robert Frost)

- My wife cooks for fun. For food we go out to a restaurant. (T. Cooper)

- She is the only person I know who can ruin cornflakes. She boils them. In the packet.

- I never ask her what's cooking. I say, "What's thawing?"

- "What did you have for breakfast this morning?" "Oh, the usual argument."

- 1st cannibal: "Am I late for supper?"
  2nd cannibal: "Yes, everybody's eaten."

- The best number for a dinner party is two: myself and a damn good headwaiter. (N. Gulbenkian)

13 La nourriture

- J'aime bien manger dans les établissements où il y a un juke-box. Parfois la musique aide à oublier ce qu'on mange et parfois, la nourriture vous aide à oublier la musique.

- Avant (d'entreprendre) une exploration, choisissez vos compagnons avec soin ; vous pouvez être amené à les manger.

- Un gourmet n'est autre qu'un glouton doté d'un cerveau.

- Il n'y a qu'une chose qui soit plus exaspérante qu'une épouse qui sait faire la cuisine et refuse de la faire ; c'est la femme qui ne sait pas et veut.

- Ma femme fait la cuisine pour s'amuser. Pour manger nous allons au restaurant.

- C'est la seule personne de ma connaissance qui soit incapable de préparer les cornflakes. Elle les fait bouillir. Sans les sortir du paquet.

- Je ne lui demande jamais : « Qu'est-ce qui est en train de cuire ? » Je dis : « Qu'est-ce qui est en train de décongeler ? »

- « Qu'avez-vous eu au petit déjeuner ce matin ? — Oh, la dispute habituelle ! »

- Premier cannibale : « Je suis en retard pour le souper ? »
Second cannibale : « Oui. Tout le monde a mangé (est mangé). »

  's peut aussi bien signifier **is** que **as**.
  has eaten : *a mangé.*
  is eaten : *est mangé*

- Le nombre idéal pour un dîner, c'est deux. Moi et un maître d'hôtel vachement stylé.

  damn good : *bigrement bon.*

13 Food

- "There's a dead fly in my soup."
  "Yes, it's the heat that kills them."

- "Waiter, there's a fly in my soup!"
  "They don't care what they eat, do they, sir?"

- "How did you find the steak?"
  "With a magnifying glass."

- "Say, waiter, this water is clouded."
  "The water is okay, sir. Just the glass is dirty."

- "Waiter, this egg is bad."
  "I only laid the table, sir."

- "Waiter, what's the name of this soup."
  "It's bean soup, sir."
  "Yeah, but what is it now?"

- "Waiter, the coffee tastes like mud."
  "Well, sir, it was ground ten minutes ago."

- An American visiting London saw a restaurant which claimed they could serve any dish that was requested. So he asked the waiter for a crocodile sandwich. The waiter came back a moment later and said: "I'm so sorry, sir, but we've run out of bread."

- In that restaurant, I was confronted with an independent waiter: he would not take orders from anyone.

13 La nourriture

- « J'ai une mouche morte dans ma soupe.
— Oui, c'est la chaleur qui les tue. »

- « Garçon, il y a une mouche dans ma soupe !
— Elles ne sont pas difficiles sur la nourriture, n'est-ce pas, monsieur ? »

  they don't care : *elles s'en moquent.*

- « Comment avez-vous trouvé le steak ?
— Avec une loupe. »

- « Dites-moi, garçon, cette eau est trouble.
— Ça ne vient pas de l'eau, monsieur. C'est seulement le verre qui est sale. »

- « Garçon, cet œuf est mauvais.
— J'ai seulement mis la table, monsieur. »

  to lay : *mettre* (la table), signifie également *pondre.* **To lay an egg :** *pondre un œuf.*

- « Garçon, comment s'appelle cette soupe ?
— C'est de la soupe aux haricots, monsieur.
— Ah oui, et c'est quoi, maintenant ? »

  it's bean soup se prononce comme **it's been soup :** *ç'a été de la soupe.*

- « Garçon, ce café a un goût de terre.
— Eh bien, monsieur, il a été moulu il y a dix minutes. »

  mud : *de la boue.* **Ground** peut être le participe passé de **to grind** *(moudre)* ou un nom signifiant *le sol, la terre.*

- Un Américain qui visitait Londres vit un restaurant qui prétendait pouvoir servir tout ce que le client demanderait. Il commanda au garçon un sandwich au crocodile. Le garçon revint quelques instants plus tard et dit : « Désolé, monsieur, mais nous n'avons plus de pain. »

- Dans ce restaurant, je me suis trouvé face à un serveur (au caractère) indépendant : il refusait de prendre les commandes.

  an order : *un ordre ; une commande.*

14

France and the French

La France et les Français

14 France and the French

- The best thing I know between France and England is the sea. (D. Jerrold)

- The French are wiser than they seem and the Spaniards seem wiser than they are. (Sir Francis Bacon)

- France has neither winter nor summer nor morals — apart from these drawbacks it is a fine country.

- The French cook, we open tins. (J. Galsworthy)

- Taking your wife to Paris is like taking a sandwich to a banquet.

- "How would you ask for water in Paris?"
  "Who would drink water in Paris?"

- I don't speak much French. Just enough to have my face slapped.

- Of all the crosses I have to bear, the heaviest is the cross of Lorraine. (Winston Churchill)

- The French: an erratic and brilliant people... who have all the gifts except that of running their country. (J. Cameron)

- The modern French duel is... one of the most dangerous institutions of our day. Since it is nearly always fought in the open air, the contestants are nearly sure to catch cold. (Mark Twain)

- If Racine knew any jokes, he kept them to himself. (Arthur Marshall)

14 La France et les Français

- La meilleure chose que je connaisse entre la France et l'Angleterre, c'est la mer.

- Les Français sont plus avisés qu'ils n'en ont l'air et les Espagnols semblent plus avisés qu'ils ne le sont (en fait).

- La France n'a ni hiver ni été ni moralité — mis à part ces inconvénients, c'est un beau pays.

- Les Français font la cuisine. Nous ouvrons des boîtes de conserve.

- Emmener sa femme à Paris c'est comme si on emportait un sandwich quand on va à un banquet.

- « Comment demanderiez-vous de l'eau à Paris ?
  — Qui voudrait boire de l'eau à Paris ? »

- Je ne parle pas beaucoup le français. Juste assez pour me faire gifler.

- De toutes les croix que je dois porter, la plus lourde est la croix de Lorraine.

- Les Français : un peuple fantasque et brillant... qui a tous les dons sauf celui de (bien) gérer son pays.

  to run : *gouverner, administrer.*

- Le duel moderne en France est... une des institutions les plus dangereuses de notre époque. Comme on se bat presque toujours en plein air, les adversaires sont presque certains d'attraper un rhume.

- Si Racine connaissait des histoires drôles, il les a gardées pour lui.

15

Friends

Les amis

15 Friends

- He hasn't an enemy in the world but all his friends hate him.

- He is the kind of man who picks his friends... to pieces. (Mae West)

- He is a fine friend. He stabs you in the front. (L.L. Levinson)

- Some people bring happiness wherever they go. You bring happiness whenever you go.

- While your friend holds you affectionately by both your hands you are safe, for you can watch both his. (Ambrose Bierce)

- Anyone can sympathise with the sufferings of a friend but it requires a fine nature to sympathize with a friend's success. (Oscar Wilde)

- Calamities are of two kinds: misfortunes to ourselves and good fortune to others. (Ambrose Bierce)

- It's always best not to tell people your troubles. Half of them are not interested and the other half are glad you're getting what's coming to you. (A.M.A. News)

- Never forget a friend, especially if he owes you money.

- I had terrible luck. My best friend ran away without my wife.

15 Les amis

- Il n'a aucun ennemi au monde mais tous ses amis le détestent.

- Il fait partie de ces hommes qui choisissent leurs amis... qui les mettent en pièces.

  to pick seul signifie *choisir*, mais **to pick to pieces** veut dire *démolir complètement.*

- C'est un ami irréprochable. Il vous poignarde par-devant.

  Par opposition à **to stab in the back :** *poignarder dans le dos.*

- Certaines personnes apportent le bonheur partout où elles vont. Toi, tu apportes le bonheur à chaque fois que tu t'en vas.

- Tant que votre ami vous tient affectueusement les deux mains, vous ne risquez rien, car vous pouvez surveiller les deux siennes.

- N'importe qui peut s'apitoyer sur les souffrances d'un ami mais il faut avoir une excellente nature pour se réjouir de ses succès.

- Les catastrophes sont de deux sortes : les malheurs qui nous échoient et la bonne fortune dont bénéficient les autres.

- Il est toujours préférable de ne pas parler de ses problèmes aux autres. La moitié d'entre eux ne s'y intéressent pas et l'autre moitié se réjouit de ce qui vous arrive.

- N'oubliez jamais un ami, surtout s'il vous doit de l'argent.

- J'ai eu une malchance atroce : mon meilleur ami est parti sans ma femme.

  Ne pas confondre **terrible :** *affreux, horrible* et **terrific :** *sensationnel, formidable.*

15 Friends

- Do you love your enemies?
  Yes, all three of them. Tobacco, women and liquor.

- Instead of loving your enemies, treat your friends a little better. (Ed. Howe)

- It's amazing how nice people are to you when they know you are going away. (M. Arlen)

- Acquaintance: someone you know well enough to borrow money from but not enough to lend money to.

- My best friend married my sister. Now, he hates me like a brother.

- Aimes-tu tes ennemis ?
  Oui, tous les trois : le tabac, les femmes et l'alcool.

  liquor : *boisson fortement alcoolisée, spiritueux. Une liqueur :* **a liqueur.**

- Au lieu d'aimer tes ennemis, traite un peu mieux tes amis.

- Il est étonnant (de voir) combien les gens sont gentils avec vous quand ils savent que vous vous en allez.

- Relation : quelqu'un que l'on connaît assez pour lui emprunter de l'argent mais pas suffisamment pour lui en prêter.

- Mon meilleur ami a épousé ma sœur. Maintenant il me déteste comme un frère.

16

History
L'histoire

16 History

- History is a record of events that didn't happen, made by someone who wasn't there.

- God cannot alter the past, but historians can. (Samuel Butler)

- What's so wonderful about Columbus discovering America? It's so big, how could he have missed it?

- Every time history repeats itself the prices go up.

- History repeats itself but nobody listens.

- History is too serious to be left to historians.

- Anyone can make history. Only a great man can write it. (Oscar Wilde)

- The only lesson history has taught us is that man has not yet learned anything from history.

- "One of my ancestors fell at Waterloo!"
  "Really?"
  "Yes. Someone pushed him off the platform."

- "Can you tell me what happened in 1776?"
  "I can't even remember what happened last night."

16 Histoire

- L'histoire est le récit d'événements qui ne se sont pas produits, fait par quelqu'un qui n'y était pas.

- Dieu ne peut pas modifier le passé, mais les historiens oui.

- Qu'y a-t-il de si extraordinaire dans la découverte de l'Amérique par Christophe Colomb ? Elle est tellement grande, comment aurait-il pu ne pas la voir ?

  to miss : *manquer.*

- Chaque fois que l'histoire se répète, les prix montent.

- L'histoire se répète mais personne n'écoute.

  Comprendre : *les historiens se répètent les uns les autres.*

- L'histoire est (une affaire) trop sérieuse pour qu'on la laisse aux historiens.

- Devenir un personnage historique, c'est à la portée de n'importe qui. Seul un grand homme peut écrire l'histoire.

- La seule leçon que l'histoire nous ait apprise c'est que l'homme n'a encore rien appris grâce à l'histoire.

- « L'un de mes ancêtres est tombé à Waterloo !
  — Vraiment ?
  — Oui. Quelqu'un l'a poussé à bas du quai. »

  Waterloo Station : station de métro de Londres.

- « Pouvez-vous me dire ce qui s'est passé en 1776 ?
  — Je n'arrive même pas à me rappeler ce qui est arrivé hier soir. »

16 History

- History: an account mostly false of events, mostly important, which are brought about by rulers, mostly knaves, and soldiers, mostly fools. (Ambrose Bierce)

- History teaches us that men and nations behave wisely once they have exhausted all other alternatives.

- Histoire : un compte rendu le plus souvent faux d'événements, le plus souvent importants, provoqués par des dirigeants, le plus souvent des coquins, et des soldats, le plus souvent stupides.

- L'histoire nous apprend que les hommes et les nations se comportent raisonnablement une fois qu'ils ont épuisé toutes les autres possibilités.

17

Howlers
Bourdes

17 Howlers

- Burglar cracks victim's skull.
  Finds nothing.

- Greenland volcano in eruption. (By arrangement with **the Times**.)

- Save time and cut fingers with a parsley mincer.

- Ghana is to change over to driving on the right. The change will be made gradually.

- Wanted smart young man for butcher's.
  Able to cut, skewer and serve customers.

- Woman hurt while cooking her husband's breakfast in a horrible manner.

- Household hint: Ink can more easily be removed from a white table cloth before it is spilled than after.

- Fifth Army seizes junction of parallel roads to Rome.

- Please, excuse John from school today as father's ill and the pig has to be fed.

- Thoroughbred English bull dog eats anything. Very fond of children.

- The mayor said that it was scandalous that the public swimming baths had no flirtation system.

17 Bourdes

- Le cambrioleur fend le crâne de sa victime.
  Il ne trouve rien.

- Volcan en éruption au Groenland. (Avec l'accord du **Times**.)

- Gagnez du temps et coupez-vous les doigts avec un hachoir à persil.

  L'annonce voulait dire en fait **save cut fingers:** *évitez les doigts coupés.*

- Le Ghana va se mettre à la conduite à droite.
  Le changement se fera progressivement.

- On demande jeune homme habile pour (travailler) chez un boucher. Capable de couper, embrocher et servir les clients.

- Femme blessée alors qu'elle préparait le petit déjeuner de son mari d'une façon horrible.

- Conseil ménager : On peut enlever plus facilement l'encre sur une nappe blanche avant qu'elle ait été renversée (se soit répandue) qu'après.

- La Ve armée s'empare de la jonction de routes parallèles menant à Rome.

- Je vous prie de bien vouloir dispenser John de cours aujourd'hui car son père est malade et le cochon a besoin qu'on le nourrisse.

- Bulldog anglais de pure race mange n'importe quoi. Aime beaucoup les enfants.

- Le maire a déclaré qu'il était scandaleux que les bains publics ne soient pas dotés d'un système de filtrage (permettant le flirt).

18

Humour

Humour

18 Humour

- Humour is like a frog. If you dissect it, it dies. (Mark Twain)
- He who laughs last usually has a tooth missing.
- He who laughs last may be the one who wanted to tell the joke himself.
- He who laughs last is usually the last to get the joke. (Terry Cohen)
- When a girl has pretty teeth, she never fails to see the joke.
- She laughs at everything you say. Why? She has fine teeth. (Benjamin Franklin)
- A pun is the lowest form of humour: when you don't think of it first. (Oscar Levant)
- The witty man merely says what you would have said if you had thought of it. (L.J. Peter)
- Brevity is the soul of wit. (W. Shakespeare)
- Levity is the soul of wit. (Melville D. Landor)
- Everything is funny as long as it is happening to somebody else. (Will Rogers)
- If your wife laughs at your jokes it means that you either have a good joke or a good wife. (Except if you have company at home.)
- A sense of humour is the ability to laugh at your own jokes when your wife tells them.

18 Humour

- L'humour est comme une grenouille. Si vous le disséquez, il meurt.

- Celui qui rit le dernier est généralement celui à qui il manque une dent.

- Celui qui rit le dernier est peut-être celui qui voulait dire la plaisanterie lui-même.

- Celui qui rit le dernier est généralement le dernier à comprendre la plaisanterie (ou à saisir l'astuce).

- Quand une fille a de jolies dents, elle ne manque jamais de saisir la plaisanterie.

- Elle rit de tout ce que vous dites. Pourquoi ? Parce qu'elle a de belles dents.

- Le calembour est la forme la plus grossière de l'humour : pour celui qui n'en a pas eu l'idée le premier.

- L'homme d'esprit se contente de dire ce que vous auriez dit vous-même si vous y aviez pensé.

- La brièveté est l'essence de l'esprit.

  soul : *âme, élément moteur.*

- La légèreté est l'essence de l'esprit.

- Tout est drôle, tant que cela arrive aux autres.

- Si votre femme rit de vos plaisanteries, cela signifie ou bien que vos plaisanteries sont bonnes ou bien que vous avez une bonne épouse. (Sauf quand vous avez du monde chez vous.)

- Le sens de l'humour c'est la capacité à rire de vos propres plaisanteries quand c'est votre femme qui les raconte.

18 Humour

- There are men who fear repartee in a wife more keenly than a sword. (P.G. Wodehouse)
- A rich man's joke is always funny. (T.E. Brown)
- Don't stop him if you have already heard his jokes: don't forget, this man is your employer. He may be giving you a loyalty test. (Or maybe he wants to hear them again.)
- It is not enough to possess wit. One must have enough of it to avoid having too much. (Oscar Wilde)
- He'd be the funniest man if he was as well known as his jokes.
- A lot of his jokes sound too good to be new.
- I hope he'll live to be as old as his jokes.

- Il y a des hommes qui craignent la repartie d'une femme plus vivement qu'une épée.
- La plaisanterie du riche est toujours drôle.
- Ne l'arrêtez pas si vous avez déjà entendu ses plaisanteries : n'oubliez pas que cet homme est votre patron. Il est peut-être en train de vous soumettre à un test de loyauté. (À moins qu'il n'ait envie de les entendre une fois de plus.)
- Il ne suffit pas d'avoir de l'esprit. Il faut en avoir assez pour éviter d'en avoir trop.
- Ce serait l'homme le plus drôle (du monde) s'il était aussi connu que ses plaisanteries.
- Un grand nombre de ses plaisanteries semblent trop bonnes pour être nouvelles.
- J'espère qu'il vivra aussi longtemps que les plaisanteries qu'il nous sort.

19

Husbands
Les maris

19 Husbands

- A smart husband buys his wife very fine china so she won't trust him to wash it.

- A man in love is incomplete until he has married. Then he is finished. (Zsa Zsa Gabor)

- There is only one thing for a man to do if he is married to a woman who enjoys spending money, and that is to enjoy earning it. (Ed. Howe)

- Whenever I meet a man who would make a good husband, he is.

- "A husband like yours is hard to find."
  "He still is."

- More husbands would leave home if they knew how to pack their suitcases.

- Husbands are like fires; they go out if unattended. (Zsa Zsa Gabor)

- Being a husband is just like any other job: it's much easier if you like your boss.

- Every human being starts life as a single cell... and my husband will end up in one, too.

- "What kind of a husband do you think I should look for?"
  "Better leave the husbands alone and look for a single man."

19 Les maris

- Le mari avisé achète à sa femme de la porcelaine très fine afin qu'on ne lui confie pas la vaisselle à laver.

- L'homme qui est amoureux est incomplet jusqu'au jour où il se marie. Alors il est fini (fichu).

- La seule chose à faire pour un homme marié à une femme qui aime dépenser l'argent, c'est d'aimer en gagner.

- À chaque fois que je rencontre un homme qui ferait un bon mari, il est (déjà marié).

- « Un mari comme le tien est difficile à trouver.
— Il l'est toujours. »

- Il y aurait davantage de maris qui partiraient de chez eux s'ils savaient faire une valise.

- Les maris, c'est comme le feu ; ils s'éteignent si on ne s'en occupe pas.

- Être un mari c'est comme n'importe quel autre métier : c'est beaucoup plus facile quand on aime son patron.

- Tout être humain débute dans la vie sous forme d'une cellule unique... et mon mari va se retrouver dans l'une d'elles.

  single cell : *cellule unique* (biologie),
  cellule pour un seul détenu.

- « Quelle sorte de mari faut-il que je cherche, à ton avis ?
— Tu ferais mieux de laisser les maris tranquilles et de chercher un célibataire. »

C28169

20

Hypocrisy

L'hypocrisie

20 Hypocrisy

- When I sell liquor, it's called bootlegging; when my patrons serve it on silver trays on Lake Shore Drive, it's called hospitality. (Al Capone)

- Flattery is like a cigarette — it's all right as long as you don't inhale. (Adlai Stevenson)

- What really flatters a man is that you think him worth flattering. (G.B. Shaw)

- It is easy to keep from being a bore: just praise the person to whom you are talking. If you flatter, your conversation is never flat.

- Flattery consists in telling the other fellow what he thinks of himself.

- When I tell him he hates flatterers, he says he does, being then the most flattered. (William Shakespeare)

- I hope you have not been leading a double life, pretending to be wicked and being really good all the time. That would be hypocrisy. (Oscar Wilde)

- Our idea of a hypocrite is the man who carefully folds his **New York Times** around his tabloid before starting home.

- The only form of lying that is absolutely beyond reproach is lying for its own sake. (Oscar Wilde)

- Truth is the most valuable thing we have. Let us economize it. (Mark Twain)

20 L'hypocrisie

- Quand je vends de l'alcool, on appelle ça du trafic. Quand mes clients le servent sur des plateaux d'argent, le long du lac, on appelle ça de l'hospitalité.

- La flatterie, c'est comme une cigarette — elle ne fait aucun mal tant qu'on n'inhale pas.

- Ce qui flatte vraiment un homme c'est que vous le jugiez digne d'être flatté.

- Éviter d'être un raseur, c'est facile : il suffit de chanter les louanges de la personne à qui vous parlez. Si vous flattez, votre conversation n'est jamais plate.

  flatter est également le comparatif de **flat**.

- La flatterie consiste à dire à l'autre ce qu'il pense de lui-même.

- Quand je lui dis qu'il déteste les flatteurs, il dit que c'est vrai, et ça le flatte au plus haut point.

- J'espère que vous n'avez pas mené une double vie, et fait semblant d'être un mauvais sujet alors qu'en fait vous étiez toujours vertueux. Ce serait de l'hypocrisie.

- L'idée que nous nous faisons d'un hypocrite, c'est un homme qui replie soigneusement son **New York Times** autour de son journal à sensations avant de repartir chez lui.

- La seule forme de mensonge qui soit entièrement au-dessus de tout reproche, c'est le mensonge gratuit.

- La vérité est le plus précieux de nos biens ; économisons-la.

SCI. AM. N.Y.

21

Inventions

Les inventions

21 Inventions (science, technology)

- A weed is a plant whose virtues have not yet been discovered. (Ralph Waldo Emerson)

- The Atomic Age is here to stay — but are we? (Bennett Cerf)

- If they keep fooling around with H bombs, some day they're gonna pick a Miss Universe — and there won't be any Universe to be Miss of. (Robert Owen)

- When a man sits with a pretty girl for an hour it seems like a minute. But let him sit on a hot stove for a minute — and it's longer than any hour. That's relativity. (Albert Einstein)

- I can remember when scientists used to spend all their time trying to figure out how old the earth is. Now, they're just wondering how much older it's gonna get. (Robert Owen)

- "Look, I'm trying to discover a liquid that will dissolve everything."
  "That's great! But what are you going to keep it in?"

- Benjamin Franklin may have discovered electricity, but it was the man who invented the meter who made the money. (Earl Widson)

- We owe a lot to Thomas Edison. If it wasn't for him, we'd be watching T.V. by candlelight. (M. Berle)

- "Kenneth, give me the formula for water."
  "Yes, madam. H.I.J.K.L.M.N.O."
  "What? Are you crazy?"
  "No, madam. Yesterday you said it was 'H to O'."

21 Inventions (science, technologie)

- Une mauvaise herbe est une plante dont les vertus n'ont pas encore été découvertes.

- L'ère atomique a de l'avenir — mais en est-il de même pour nous ?

  it's here to stay : *son existence est assurée à jamais.*

- S'ils continuent à faire joujou avec les bombes H, un de ces jours ils vont élire une miss Univers — et y aura pas d'univers pour la miss.

- Quand un homme reste avec une jolie fille pendant une heure, il a l'impression que ça n'a duré qu'une minute. Mais qu'il reste assis sur un fourneau brûlant pendant une minute — ça lui semblera plus long qu'une heure (à faire n'importe quoi d'autre). C'est cela la relativité.

- Je me rappelle l'époque où les savants passaient tout leur temps à essayer de déterminer l'âge de la terre. Maintenant, ils se contentent de se demander combien de temps elle va encore durer.

- « Dis donc, j'essaie de trouver un liquide qui pourra tout dissoudre.
  — Formidable. Mais dans quoi est-ce que tu vas le mettre ? »

- Benjamin Franklin a peut-être découvert l'électricité mais c'est celui qui a inventé le compteur qui a gagné de l'argent (en a tiré tous les bénéfices).

- Nous devons beaucoup à Thomas Edison. Sans lui, nous regarderions la télévision à la lueur de la bougie.

- « Kenneth, donne-moi la formule de l'eau.
  — Oui, madame. H.I.J.K.L.M.N.O.
  — Quoi ? Es-tu fou ?
  — Non, madame. Hier vous avez dit que c'était de H jusqu'à O. »

  H2O se prononce comme **H to O**.

21 Inventions (science, technology)

- Fortunately the wheel was invented before the car, otherwise the scraping noise would be terrible.

- Science is always wrong. It never solves a problem without creating ten more. (G.B. Shaw)

- An American company announces an invention; the Russians claim they made the same discovery twenty years before; the Japanese start exporting it.

- If an experiment works, something has gone wrong. (Murphy's law)

- Heureusement que la roue a été inventée avant la voiture, sinon le bruit de frottement serait horrible.

- La science a toujours tort. Elle ne résout jamais un problème sans en créer dix autres.

- Une société américaine annonce une invention ; les Russes prétendent qu'ils ont fait la même découverte il y a vingt ans ; les Japonais commencent à l'exporter.

- Si une expérience réussit, c'est que quelque chose n'a pas tourné rond. (Loi de Murphy)

22

Jokes

Histoires drôles

22 Jokes

- Doctor (outside the sick-room): I'm rather worried about your wife's condition. I don't like the way she looks.
  Husband: I haven't liked it for years.

- Surgeon: I'm afraid your condition is critical. I shall have to remove half your large bowel.
  Patient: That's all right, doctor. Better a semi-colon than a full stop.

- "I should never have got married", said Mr Newlywed to his pal at work. "My wife doesn't like me when I'm drunk, and I can't stand the sight of her when I'm sober."

- Shortly after the outbreak of the Second World War, a soldier was asked what had made him join up.
  "There were several reasons", he replied. "I wanted to serve my country; I wanted to fight fascism; I wanted to build a brave new world fit for heroes. But the main reason was that they came and got me."

- "So your son is an undertaker! I thought you had said he was a doctor."
  "No, I said he followed the medical profession."

- "Where does your football team play, uncle?"
  "What football team? What are you talking about?"
  "Well, I heard Dad say that when you kicked off, we'd be able to afford a new house!"

22 Histoires drôles

- Le docteur (en dehors de la salle de consultation) : Je suis très inquiet de l'état de votre femme. Elle a une mine qui ne me plaît pas du tout.
  Le mari : Moi, ça fait des années qu'elle ne me plait pas.

- Le chirurgien : J'ai bien peur que votre état ne soit critique. Je vais être obligé de vous enlever la moitié du gros intestin.
  Le malade : C'est sans problème, docteur. Mieux vaut un demi-colon qu'un arrêt total.

  semi-colon : *point virgule* ; **full stop:** *point (final).*

- « Je n'aurais jamais dû me marier, dit M. Jeunemarié à son collègue. Ma femme n'aime pas me voir soûl et moi je ne peux pas supporter de la voir quand je suis à jeun. »

- Peu de temps après le début de la Seconde Guerre mondiale, quelqu'un demanda à un soldat pourquoi il était entré dans l'armée.
  « Il y a eu plusieurs raisons, répliqua-t-il. Je voulais servir mon pays ; je voulais combattre le fascisme ; je voulais construire un monde nouveau et propre, un monde de héros. Mais la principale raison, c'est qu'ils sont venus me chercher. »

- « Ainsi donc votre fils est employé des pompes funèbres. Je croyais que vous aviez dit qu'il était docteur.
  — Non. J'ai dit qu'il suivait la profession médicale. »

- « Où est-ce qu'elle joue ton équipe de football, mon oncle ?
  — Quelle équipe de football ? De quoi parles-tu ?
  — Bah, j'ai entendu papa dire que quand tu donnerais le coup d'envoi nous aurions les moyens de nous payer une maison neuve. »

  to kick off : outre *donner le coup d'envoi* signifie *casser sa pipe.*

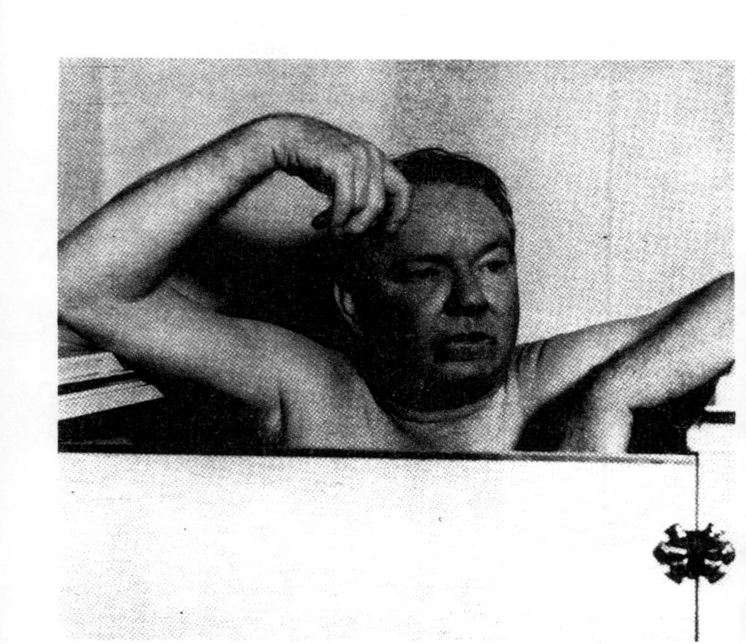

23

Life
La vie

23 Life

- Life: a man is lucky if he gets out of it alive. (W.C. Fields)

- "What do you do for a living?"
  "As little as possible."

- Life is wonderful. Without it you'd be dead.

- Life is too short for men to take it seriously. (G.B. Shaw)

- Life begins at forty but don't wait that long, you'd be missing a lot!

- "Your money or your life!"
  "Take my life. I'm saving my money for old age."

- The first half of our life is ruined by our parents and the second half by our children. (Clarence Darrow)

- Life is like an onion: you peel off layer after layer and then you find there's nothing in it. (J.G. Huneker)

- Life is a foreign language: all men mispronounce it.

- The first part of life consists of the capacity to enjoy without the chance. The last half consists of the chance without the capacity. (Mark Twain)

- Life is a constant struggle to keep up appearances and keep down expenses.

- The good life starts only when you stop wanting a better one.

23 La vie

- La vie : un homme a bien de la chance s'il s'en sort vivant.

- « Qu'est-ce que vous faites dans la vie ?
— Le moins possible. »

  for a living : *pour gagner sa vie.*

- C'est merveilleux, la vie. Sans elle, vous seriez morts.

- La vie est trop courte pour que les hommes la prennent au sérieux.

- La vie commence à quarante ans mais n'attendez pas aussi longtemps, vous rateriez beaucoup de choses.

- « La bourse ou la vie !
— Prenez ma vie. J'économise l'argent pour mes vieux jours. »

- La première moitié de notre vie est gâchée par nos parents et la seconde moitié par nos enfants.

- La vie, c'est comme un oignon, on enlève les couches les unes après les autres pour s'apercevoir ensuite qu'il n'y a rien à l'intérieur.

- La vie est une langue étrangère : tous les hommes la prononcent de travers.

- La première partie de la vie vous procure la capacité d'en profiter sans en avoir l'occasion. La seconde partie vous donne l'occasion sans la capacité.

- La vie est un combat constant pour sauver les apparences et réduire les dépenses.

- La bonne vie ne commence que lorsque vous cessez d'en vouloir une meilleure.

23 Life

- My life is like a movie but it needs editing. (Mort Sahl)

- Life is rather like a tin of sardines. We are all looking for the key. (Arnold Bennett)

- There is no cure for birth and death, save to enjoy the interval. (George Santayana)

- Life is perhaps the only riddle that we shrink from giving up. (William S. Gilbert)

- Ma vie ressemble à un film mais elle aurait besoin de coupures.

  to edit : *sélectionner les meilleures séquences, faire un montage.*

- La vie, c'est un peu comme une boîte de sardines. Nous sommes tous à la recherche de la clé.

- Il n'est aucun remède à la naissance et à la mort, sauf de tirer le meilleur parti possible de l'intervalle qui les sépare.

- La vie est peut-être la seule énigme à laquelle nous n'avons aucune envie de renoncer.

  to shrink from : *répugner à, hésiter à, craindre de.*

24

Love
L'amour

24 Love

- A man can be happy with any woman as long as he does not love her. (Oscar Wilde)

- Love is the emotion that a woman feels always for a poodle dog and sometimes for a man. (George Jean Nathan)
- You can always get someone to love you — even if you have to do it yourself. (Tom Masson)

- He that falls in love with himself will have no rivals. (Benjamin Franklin)

- Love conquers all things except poverty and toothache. (Mae West)

- The only true love is love at first sight; second sight dispels it. (Israel Zangwill)

- The ideal love affair is one conducted by post. (G.B. Shaw)
- There is no love sincerer than the love of food. (G.B. Shaw)
- Those who are faithless know the pleasures of love; it is the faithful who know love's tragedies. (Oscar Wilde)
- Love is like war: easy to begin but very hard to stop. (H.L. Mencken)

- People fall in love but they have to climb out. (L.J. Peter)

- "Did you miss me while I was gone?"
"Were you gone?"

24 L'amour

- Un homme peut être heureux avec n'importe quelle femme à condition de ne pas l'aimer.

- L'amour, c'est l'émotion qu'une femme éprouve toujours pour un caniche et parfois pour un homme.

- Vous pouvez toujours trouver quelqu'un pour vous aimer — même s'il faut que ce soit vous.

- Celui qui tombe amoureux de lui-même n'aura pas de rivaux.

- L'amour vient à bout de tout sauf de la pauvreté et des maux de dents.

- Le seul véritable amour, c'est celui que l'on éprouve à la première rencontre. La seconde rencontre le fait disparaître.

  love at first sight : *le coup de foudre* ; **to dispel :** *dissiper*.

- L'idylle idéale est celle qui est menée par correspondance.

- Il n'y a pas d'amour plus sincère que l'amour de la nourriture.

- Ceux qui sont infidèles connaissent les plaisirs de l'amour. Ceux qui sont fidèles n'en connaissent que les tragédies.

- L'amour, c'est comme la guerre, facile à commencer mais très difficile à terminer.

- Les gens tombent amoureux mais il faut bien qu'ils se relèvent.

  to climb out : *s'en sortir en escaladant*.

- « Est-ce que je t'ai manqué pendant mon absence ?
  — Quelle absence ? »

24 Love

- The man who worships the ground his girl walks on probably knows her father owns the property. (L.J. Peter)

- It is assumed that the woman must wait, motionless, until she is wooed. That is how the spider waits for the fly. (G.B. Shaw)

- Woman begins by resisting men's advances and ends by blocking his retreat. (Oscar Wilde)

- I found the ideal girl. Her father is a bookmaker and her brother owns a liquor store. (Joe E. Lewis)

- "Will you love me when I am old and gray?"
  "Why must I wait that long?"

- "I love that girl. I'd like to marry her but her family objects."
  "Her family?"
  "Yes, her husband and four kids." (E. Morecambe and E. Wise)

- Money can't buy love but it improves your bargaining position. (L.J. Peter)

- "Are you fond of nuts?"
  "Is this a proposal?"

- Nothing is potent against love save only impotence. (Samuel Butler)

- Men always want to be a woman's first love; women have a more subtle instinct; what they like is to be a man's last romance. (Oscar Wilde)

- Love is the triumph of imagination over intelligence. (H.L. Mencken)

24 L'amour

- L'homme qui vénère le sol sur lequel marche la femme qu'il aime sait probablement que c'est son père (à elle) qui est propriétaire du terrain.

- On part (toujours) du principe que la femme doit attendre, immobile, que l'on vienne lui faire la cour. C'est ainsi que l'araignée attend la mouche.

- Les femmes commencent par résister aux avances des hommes et finissent par bloquer leur retraite.

- J'ai trouvé la femme idéale. Son père est bookmaker et son frère tient un bistrot.

- « M'aimeras-tu quand je serai vieille, avec des cheveux gris ?
  — Pourquoi faut-il que j'attende aussi longtemps ? »

- « J'aime cette femme. Je voudrais l'épouser, mais sa famille s'y oppose.
  — Sa famille ?
  — Oui, son mari et ses quatre enfants. »

- L'argent ne peut acheter l'amour, mais il améliore votre place sur le marché.

  to bargain : *négocier, marchander*.

- « Est-ce que tu aimes les noix ?
  — C'est une demande en mariage ? »

  nuts : outre *les noix*, signifie *« cinglé »*, et "testicules".

- Rien n'est puissant contre l'amour, sauf l'impuissance.

- Les hommes veulent être le premier amour de la femme ; les femmes ont un instinct plus subtil ; ce qu'elles aiment c'est que l'homme vive avec elles son dernier amour.

- L'amour est le triomphe de l'imagination sur l'intelligence.

24 Love

- "If we become engaged will you give me a ring?"
  "Of course. What is your phone number?"

- If you had really loved me, you would have married someone else.

- Make love to every woman you meet; if you get five percent on your outlays it's a good investment. (Arnold Bennett)

- Love is an ocean of emotions entirely surrounded by expenses.

- « Si nous nous fiançons, me donneras-tu une bague ?
  — Naturellement. C'est quoi, ton numéro de téléphone ? »

  to give a ring : *donner une bague* mais aussi *passer un coup de fil.*

- Si tu m'avais vraiment aimée tu en aurais épousé une autre.

- Faites la cour à toutes les femmes que vous rencontrez ; si vous récupérez cinq pour cent de votre mise, c'est un bon investissement.

  to make love, à l'origine, signifiait *faire la cour.*

- L'amour est un océan d'émotion entièrement entouré de dépenses.

  expenses, *dépenses*, se prononce comme **expanses**, *vastes étendues* (de terres, d'eau, etc.).

25

Marriage
Le mariage

25 Marriage

- All marriages are happy. It's the living together afterwards that causes all the trouble. (Raymond Hull)

- Bigamy is having one wife too many. Monogamy is the same thing.

- When a girl marries, she exchanges the attentions of many men for the inattention of one. (Helen Rowland)

- First the husband is humbly grateful and little by little he becomes grumbly hateful.

- I asked Maureen when she was going to get married, but she said why buy a book when you can join a circulating library? (Michael Green)

- You don't know what happiness is until you get married. And then it is too late.

- Your mother and I were perfectly happy for thirty years... And then I met her. (Benny Hill)

- "I'm afraid you have lied to me", the bride said to her husband just after the ceremony.
  "Not at all! I told you I was a millionaire, and it's true."
  "Yes, but you also told me you were seventy five and in poor health and I've just discovered that you're only fifty five and as fit as a fiddle."

- She has just bought two books. *How to make your marriage work* and *How to make your husband work.*

25 Le mariage

- Tous les mariages sont heureux. C'est la vie en commun (qui vient ensuite) qui gâche tout.

- La bigamie, c'est quand on a une femme de trop. La monogamie aussi.

- Quand une fille se marie elle échange les attentions de nombreux hommes contre l'inattention d'un seul.

- D'abord le mari est humblement reconnaissant et petit à petit, il devient grognon et détestable.

  Exemple typique de « **spoonerism** » ou *contrepèterie*, avec le déplacement des premières lettres de **humbly** et **grateful**.

- J'ai demandé à Maureen quand elle allait se marier mais elle a dit : « Pourquoi acheter un livre quand on peut s'inscrire dans une bibliothèque ambulante (un biblio-bus) ? »

- Vous ne savez pas ce qu'est le bonheur tant que vous n'êtes pas marié. Et après, c'est trop tard.

- Ta mère et moi, nous avons connu un bonheur sans nuages pendant trente années... Et puis je l'ai rencontrée.

- « J'ai bien peur que tu ne m'aies menti, dit la jeune mariée à son mari juste après la cérémonie.
  — Pas du tout. Je t'avais dit que j'étais millionnaire, et c'est vrai.
  — Oui, mais tu m'avais dit aussi que tu avais soixante-quinze ans et une très mauvaise santé et je viens de découvrir que tu n'as que cinquante-cinq ans et que tu te portes comme un charme. »

  fit as a fiddle : mot à mot : *aussi bien portant qu'un violon.*

- Elle vient d'acheter deux livres. *Comment réussir votre vie de couple* et *Comment faire travailler votre mari.*

25 Marriage

- "How much does it cost to get married, Dad?"
  "I don't know. I'm still paying for it."

- One should always be in love; that is the reason why one should never marry. (Oscar Wilde)

- Some people ask the secret of our long marriage. We take time to go to a restaurant twice a week. A little candle-light dinner, soft music, and dancing. She goes on Tuesdays, I go on Fridays. (Henry Youngman)

- « Combien ça coûte de se marier, papa ?
  — Je n'en sais rien. Je n'ai pas encore fini de payer. »

- On devrait toujours être amoureux. C'est la raison pour laquelle il ne faudrait jamais se marier.

- Certaines personnes (nous) demandent (quel est) le secret de notre longue entente conjugale. Nous prenons le temps d'aller au restaurant deux fois par semaine : petit souper aux chandelles, musique douce, danse... Elle y va le mardi, moi, j'y vais le vendredi.

26

Money
L'argent

26 Money

- Let us all live within our means, even if we have to borrow money to do it.

- We have the highest standard of living. Too bad we can't afford it.

- Where there's a will there are relatives.

- It doesn't matter if you're rich or poor, as long as you've got money.

- I don't want money. It is only people who pay their bills who want that and I never pay mine. (Oscar Wilde)

- I don't owe a penny to a single soul... not counting tradesmen, of course. (P.G. Wodehouse)

- I'm living so far beyond my income that we may almost be said to be living apart. (Saki)

- I can't live within my income. All I can do is live within my credit.

- Money isn't everything : usually it isn't even enough.

- Debts are the certain outcome of an uncertain income.

- To force myself making money I determined to spend more. (J. Agate)

- Misers are no fun to live with but as ancestors they are great. (G.W. Stephenson)

26 L'argent

- Vivons tous selon nos moyens, même s'il nous faut emprunter pour y parvenir.

- Nous avons le niveau de vie le plus élevé. Dommage que nous n'en ayons pas les moyens.

- Là où il y a un testament il y a des parents.

  Parodie du proverbe : « **Where** (ou **when**) **there is a will there is a way** » : mot à mot : *là où il y a une volonté il y a un moyen* (*quand on veut on peut*) ; **will** (nom) peut également signifier *testament*.

- Il n'importe guère que vous soyez riche ou pauvre, du moment que vous avez de l'argent.

- Je ne veux pas d'argent. Il n'y a que les gens qui paient leurs factures pour en vouloir, et moi je ne paie jamais les miennes.

- Je ne dois pas un sou à personne... sauf aux commerçants, bien entendu.

- Je vis tellement au-dessus de mes revenus que l'on pourrait presque dire que nous vivons chacun de notre côté.

- Je ne parviens pas à vivre de mes revenus. La seule chose que je réussisse à faire c'est vivre de mon crédit.

- L'argent n'est pas tout : généralement, ce n'est même pas assez.

- Les dettes sont le résultat certain de revenus incertains.

  outcome : *conséquence*, *aboutissement*.

- Pour m'obliger à gagner de l'argent j'ai décidé de dépenser davantage.

- Les avares ne sont pas agréables à vivre mais comme ancêtres ils sont formidables.

26 Money

- I'm going through a very difficult time in a man's life. I'm too tired to work and too broke to quit.
- Yesterday I took a taxi to bankruptcy court... then invited the driver as a creditor.
- When I was young I thought that money was the most important thing in life. Now that I am old, I know that it is. (Oscar Wilde)
- A depression is a period when people do without things their parents never had.
- When I asked my friend, "Say do you have enough confidence to lend me a pound?", he answered "I have the confidence but I don't have the pound."
- "But it costs me £ 5,000 to live!"
  "Don't pay it. It's not worth it." (Groucho Marx)

- Je traverse une période très difficile dans la vie d'un homme : je suis trop fatigué pour travailler et trop fauché pour m'arrêter.
- Hier j'ai prix un taxi pour me rendre au tribunal de Commerce... et j'ai invité le chauffeur à m'y accompagner, au titre de créancier.

  bankruptcy : *faillite*.

- Quand j'étais jeune je croyais que l'argent était la chose la plus importante de la vie. Maintenant que je suis vieux, je sais qu'il l'est.
- La crise, c'est une période pendant laquelle les gens se passent de choses que leurs parents n'avaient jamais eues.
- Quand j'ai demandé à un ami : « Dis donc, as-tu suffisamment confiance (en moi) pour me prêter une livre ? », il a répondu : « La confiance, je l'ai, mais la livre je ne l'ai pas. »
- « Mais il me faut cinq mille livres pour vivre !
  — Ne les payez pas. Ça ne les vaut pas. »

27

Modern art
L'art moderne

27 Modern art

- It's easy to recognize a modern painting. It's the one you can't recognize.

- There are three kinds of people in the world: those who can't stand Picasso, those who can't stand Raphaël and those who've never heard of them. (John White)

- You are not supposed to enjoy modern art; it's made to be written and talked about, not looked at.

- Writing about art is like dancing about architecture.

- Modern art is easy to understand. If it hangs on the wall, it's a painting. If you can walk around it, it's a sculpture.

- The best way to tell if a modern painting is completed is to touch it. If the paint is dry, it's finished.
- Modern art is when you buy a picture to cover a hole in the wall and then decide the hole looks much better.

- Modern art: a product of the untalented, sold by the unprincipled to the utterly bewildered. (Al Capp)

- An artist's career always begins tomorrow. (J. Whistler)
- If Botticelli were alive today, he'd be working for *Vogue*. (Peter Ustinov)
- There are two ways of disliking art : one is to dislike it, the other to like it rationally. (Oscar Wilde)
- It doesn't matter how badly you paint so long as you don't paint badly like other people. (George Moore)

27 Art moderne

- Il est facile de reconnaître un tableau moderne. C'est celui que vous ne pouvez pas reconnaître.

  to recognize : également *identifier*.

- Il y a de par le monde trois catégories d'individus : ceux qui ne peuvent pas supporter Picasso, ceux qui ne peuvent pas souffrir Raphaël et ceux qui n'ont jamais entendu parler ni de l'un ni de l'autre.

- Personne ne vous demande d'apprécier l'art moderne ; il est fait pour qu'on le commente, par écrit et dans les conversations, pas pour être regardé.

- Écrire sur l'art moderne cela revient à danser sur l'architecture.

- L'art moderne est facile à reconnaître. Si c'est accroché au mur, c'est un tableau. Si on peut marcher autour, c'est une sculpture.

- Le meilleur moyen de voir si une toile moderne est finie, c'est de la toucher. Si la peinture est sèche, le tableau est terminé.

- L'art moderne c'est quand vous achetez un tableau pour couvrir un trou dans le mur et décidez ensuite que le trou fait beaucoup mieux.

- L'art moderne : le produit de gens dépourvus de talent, vendu par des gens dépourvus de scrupules à des gens dépourvus de tout sens commun.

  to be bewildered : *être désorienté, ahuri, dérouté.*

- La carrière d'un artiste commence toujours demain.

- Si Botticelli vivait encore à l'époque actuelle, il travaillerait pour *Vogue*.

- Il y a deux façons de ne pas aimer l'art ; la première consiste à ne pas l'aimer, la seconde à l'aimer rationnellement.

- Peignez aussi mal que vous voudrez, cela n'a aucune importance, du moment que c'est différent de ce que font les autres.

27 Modern art

- A primitive artist is an amateur whose work sells. (Grandma Moses)

- An auctioneer: a man who can sell a painting he doesn't like to another man who doesn't want it for twice its value. (L.J. Peter)

- In a Texas school, the teacher announced one day that they would learn to draw tomorrow. And the next day, all the children came to school with pistols.

- Buy old masters. They fetch a much better price than old mistresses. (Lord Beaverbrook)

- There are moments when art attains almost to the dignity of manual labour. (Oscar Wilde)

- Un artiste primitif est un amateur qui se vend bien.

- Commissaire-priseur: un homme qui peut vendre un tableau qu'il n'aime pas à un autre homme qui ne le veut pas, pour deux fois sa valeur.

- Dans une école du Texas, l'institutrice annonça un jour qu'on apprendrait à dessiner le lendemain. Et le jour suivant, tous les enfants sont arrivés à l'école avec des pistolets.

  to draw : *dessiner* mais aussi *dégainer*.

- Achetez les vieux maîtres. Ils vont chercher un bien meilleur prix que les vieilles maîtresses.

- Il y a des moments où l'art atteint presque à la dignité du travail manuel.

28

Music
Musique

28 Music

- Swans sing before they die. It would be no bad thing if certain persons died before they sang. (Coleridge)

- I hate music, especially when it is played. (Jimmy Durante)
- I only know two tunes. One of them is "*Yankee Doodle*" and the other is not. (Ulysses Grant)

- Music with dinner is an insult both to the cook and the violonist. (G.K. Chesterton)

- Last night we heard Schubert's Unfinished Symphony finished.

- If this isn't a Stradivarius, I've been robbed of fifty pounds. (J. Benny)

- There are two instruments that are worse than a clarionet. Two clarionets. (Ambrose Bierce)

- If an opera cannot be played by an organ grinder, it is not going to achieve immortality. (Sir Thomas Beecham)
- Nothing soothes me more after a long and maddening course of piano forte recitals than to sit and have my teeth drilled. (G.B. Shaw)

- "Very well, I can wait." (A. Schoenberg when told that his violin concerto required a soloist with six fingers.)

- We cannot expect you to be with us all the time, but perhaps you could be good enough to keep in touch now and again. (Sir Thomas Beecham to musicians at rehearsal.)

28 Musique

- Les cygnes chantent avant de mourir. Ce ne serait pas mal que certaines personnes meurent avant de chanter.

- Je déteste la musique, surtout quand on la joue.

- Je ne connais que deux airs. L'un d'eux est le *Yankle Doodle* et l'autre ne l'est pas.

- La musique pendant le dîner, c'est une insulte aussi bien au cuisinier qu'au violoniste.

- Hier soir nous avons entendu la symphonie inachevée de Schubert se faire achever.

  finished : *achevé(e)* mais aussi *fichu(e)*.

- Si ce n'est pas un Stradivarius, je me suis fait avoir de cinquante livres.

- Il y a deux instruments qui sont pires qu'une clarinette : deux clarinettes.

  clarionet = **clarinet** en anglais moderne.

- Si un opéra ne peut pas être joué à l'orgue de barbarie, il n'atteindra jamais l'immortalité.

- Rien ne m'apaise davantage après une longue et exaspérante suite de récitals de piano que de m'asseoir pour me faire fraiser les dents.

- « Très bien, je peux attendre. » (A.S. quand on lui eut dit que son concerto pour violon exigeait un soliste ayant six doigts.)

- Nous ne pouvons pas espérer vous avoir avec nous en permanence mais peut-être pourriez-vous être assez aimables pour rester en contact de temps à autre ? (Sir Thomas Beecham à ses musiciens pendant une répétition.)

28 Music

- "Excuse me, sir, how can I get to Festival Hall?" "Practise, man. Practise."

- "Do you play the piano by ear?"
  "No, I play it by the window, to annoy the neighbours."
- The music teacher came twice a week to bridge the awful gap between Dorothy and Chopin. (George Ade)
- Wagner's music is better than it sounds. (Mark Twain)

- I like Wagner's music better than anybody's. It's so loud that one can talk the whole time without people hearing what one says. (Oscar Wilde)
- "By the way, gentlemen, I want to congratulate the first violonist publicly for being the only man in the entire orchestra who had the decency to attend every rehearsal."
  "That's the least I could do, Sir. I won't be able to come to the concert tonight."
- Women are like pianos: some of them are upright, the rest are grand. (R.H. Smith)

- What change of identity did *the Beggar's Opera* effect? It made Gay rich and Rich gay.

- Nothing is easier than playing an accordion. Any one who can fold a roadmap can play an accordion.

- "Madam, you have between the legs an instrument capable of giving pleasure to thousands — and all you can do is scratch it!" (Sir Thomas Beecham to lady cellist at rehearsal.)

28 Musique

- « Pardon, monsieur, pour aller à *Festival Hall*, que faut-il faire ?
  — Travailler, mon gars. Travailler. »

  Festival Hall : prestigieuse salle de concert de Londres.

- « Vous jouez du piano à l'oreille ?
  — Non, j'en joue à la fenêtre, pour embêter les voisins. »

- Le professeur de musique venait deux fois par semaine pour combler l'énorme fossé qu'il y avait entre Dorothy et Chopin.

- La musique de Wagner est meilleure qu'elle n'en a l'air.

  to sound : *paraître* (à l'audition).

- J'aime la musique de Wagner plus que toute autre. Elle est tellement bruyante qu'on peut parler tout le temps sans que les autres entendent ce que l'on dit.

- « Au fait, messieurs, je tiens à féciliter le premier violon publiquement, car il est le seul musicien de l'orchestre qui ait eu la décence d'assister à toutes les répétitions.
  — C'était bien le moins que je puisse faire, maître. Je ne pourrai pas venir au concert ce soir. »

- Les femmes sont comme les pianos. Certaines sont honnêtes, les autres sont formidables.

  upright piano : *piano droit* ; **grand piano :** *piano à queue, de concert.*

- Quel changement d'identité l'*Opéra de Quatre Sous* a-t-il opéré ? Il a rendu Gay riche et Rich gai.

  Gay était le compositeur et **Rich** le directeur du théâtre.

- Rien n'est plus facile que de jouer de l'accordéon. Quiconque est capable de plier une carte routière peut jouer de l'accordéon.

- « Madame, vous avez entre les jambes un instrument capable de donner du plaisir à des milliers de personnes — et la seule chose que vous soyez capable de faire, c'est de le gratter ! » (Sir Thomas Beecham à une dame jouant du violoncelle pendant une répétition.)

A tooter who tooted a flute
Tried to tutor two tooters to toot
Said the two to their tutor
"Is it harder to toot or
To tutor two tooters to toot ?"

Un flûtiste qui jouait de la flûte
Essaya d'apprendre la flûte à deux personnes
Toutes deux dirent au flûtiste
« Est-il plus difficile de jouer ou
D'apprendre à jouer à deux flûtistes ? »

29

Optimists, pessimists, cynics, sceptics

Optimistes, pessimistes, cyniques, sceptiques

29 Optimists, pessimists, cynics, sceptics

- The optimist proclaims that we live in the best possible world. The pessimist fears that it is true. (J.B. Cabell)

- The man who is a pessimist before 48 knows too much. The man who is an optimist after 48 knows too little.

- A pessimist forgets to laugh; an optimist laughs to forget.

- Nothing is impossible to the man who doesn't have to do it himself. (W.A. Clarke)

- Optimist: A husband who goes to the registrar every year to see if his marriage licence has expired. (J. Leabo)

  A man who shaves before weighing himself on the bathroom scales.

  A man who starts a crossword puzzle in ink.

- An optimist is someone who reaches for the car keys when an after dinner speaker says: "In conclusion..."

- An optimist is a driver who thinks that empty space at the curb won't have a hydrant beside it.

- Optimist: A man who believes marriage is a gamble. (L.J. Peter)

- An optimist can always see the bright side of the other fellow's misfortune.

- An optimist is a person who thinks you can take a nice leisurely drive with the family on Sunday afternoon.

- I have suffered many things in this life, most of which have never happened. (G.W. Gates)

29 Optimistes, pessimistes, cyniques, sceptiques

- L'optimiste proclame que nous vivons dans le meilleur des mondes possibles. Le pessimiste redoute que cela ne soit vrai.

- L'homme qui est pessimiste avant quarante-huit ans en sait beaucoup trop long. Celui qui est optimiste après quarante-huit ans est bien mal renseigné.

- Le pessimiste oublie de rire ; l'optimiste rit pour oublier.

- Rien n'est impossible à l'homme qui n'est pas obligé de le faire lui-même.

- Optimiste : Un mari qui se rend tous les ans au bureau d'état civil pour voir si sa licence de mariage a cessé d'être valable.

  Un homme qui se rase avant de se peser sur la balance de la salle de bains.

  Un homme qui commence un problème de mots croisés à l'encre.

- Un optimiste est quelqu'un qui prend les clés de sa voiture quand la personne qui prononce le discours clôturant un repas dit « En conclusion... »

- Un optimiste est un conducteur qui croit que la place libre qui est au bord du trottoir n'a pas une bouche à incendie à côté.

- Optimiste : Un homme qui croit que le mariage est une loterie.

  to gamble : *jouer à des jeux d'argent.*

- Un optimiste voit toujours le bon côté des malheurs des autres.

- Un optimiste est une personne qui s'imagine que l'on peut aller se promener tranquillement en voiture avec sa famille le dimanche après-midi.

- J'ai souffert de bien des choses dans mon existence ; la plupart d'entre elles ne se sont jamais produites.

29 Optimists, pessimists, cynics, sceptics

- Divorce simply proves whose mother was right in the first place. (W.A. Clarke)

- Pessimist: One who wears both belt and braces at the same time.

  One who has been compelled to live with an optimist.

  A man who looks both ways before crossing a one-way street.

  One who when he has the choice of two evils chooses both. (Oscar Wilde)

  One who thinks everybody as nasty as himself and hates them for it.

- He is a real pessimist: he could look at a doughnut and only see the hole in it. (W. Comer)

- When asked what he thought of Western civilization, Ghandi answered that he thought it would be a good idea.

- A cynic is a man :

  — who will laugh at anything so long as it isn't funny.

  — who knows the price of everything and the value of nothing. (Oscar Wilde)

  — who when he smells flowers looks around for a coffin. (H.L. Mencken)

  — who searches for an honest man with a stolen lantern. (E.A. Shoaff)

- A cynic is a blackguard whose faulty vision sees things as they are not as they ought to be. (Ambrose Bierce)

29 Optimistes, pessimistes, cyniques, sceptiques

- Le divorce sert uniquement à montrer laquelle des deux mères avait raison au départ.

- Pessimiste : Quelqu'un qui porte à la fois une ceinture et des bretelles.

  Quelqu'un qui a été obligé de vivre avec un optimiste.

  Un homme qui regarde des deux côtés avant de traverser une rue à sens unique.

  Quelqu'un qui lorsqu'il a le choix entre deux maux choisit les deux.

  Quelqu'un qui pense que les autres sont aussi « teigneux » que lui et les déteste à cause de cela.

- Il est vraiment pessimiste. Quand il regarde un doughnut, il ne voit que le trou qui est au milieu.

  doughnut : *beignet* en forme de couronne.

- Quand on lui eut demandé ce qu'il pensait de la civilisation occidentale, Gandhi répondit qu'à son avis ce serait une bonne idée.

- Un cynique est un homme :
  — qui rira de n'importe quoi, du moment que ce n'est pas drôle.
  — qui connaît le prix de toutes choses et la valeur d'aucune.
  — qui, quand il sent des fleurs, regarde de côté et d'autre pour voir où est le cercueil.
  — qui cherche un honnête homme avec une lanterne volée.

- Un cynique est un coquin dont le regard pervers lui fait voir les choses comme elles sont et non comme elles devraient être.

29 Optimists, pessimists, cynics, sceptics

- Cynicism is an unpleasant way of telling the truth. (Lillian Hellman)

- A cynic is a sentimentalist afraid of himself.

- The power of accurate observation is often called cynicism by those who haven't got it.

- Cynicism is humour in ill health.

- An idealist is one who, on noticing that a rose smells better than an onion, concludes that it will also make better soup. (H.L. Mencken)

- A sceptic is a man who won't take know for an answer. (G. James)

- A sceptic is a person who would ask God for his I.D. card. (E.A. Shoaff)

- If you are not an idealist by the time you are twenty you don't have a heart, but if you are still an idealist by thirty you don't have a head. (Randolph Bourne)

- Idealism increases in direct proportion to one's distance from the problem. (John Galsworthy)

29 Optimistes, pessimistes, cyniques, sceptiques

- Le cynisme est une manière désagréable de dire la vérité.

- Un cynique est un sentimental qui a peur de lui-même.

- Un sens aigu de l'observation est souvent appelé cynisme par ceux qui ne l'ont pas.

- Le cynisme, c'est de l'humour en mauvaise santé.

- L'idéaliste est celui qui, remarquant qu'une rose sent meilleur qu'un oignon, en conclut qu'elle fera également une meilleure soupe.

- Un sceptique est un homme qui ne prend pas « le verbe savoir » pour une réponse.

  know se prononce comme **no**. Parodie de l'expression : **I won't take no for an answer**, qui signifie : *je n'accepterai pas de réponse négative*.

- Un sceptique est une personne qui demanderait à Dieu (de montrer) sa carte d'identité.

- Si vous n'êtes pas idéaliste à vingt ans, vous n'avez pas de cœur, mais si vous êtes encore idéaliste à trente ans vous n'avez pas de cervelle.

- L'idéalisme s'accroît en proportion directe avec la distance (à laquelle nous nous trouvons par rapport) au problème.

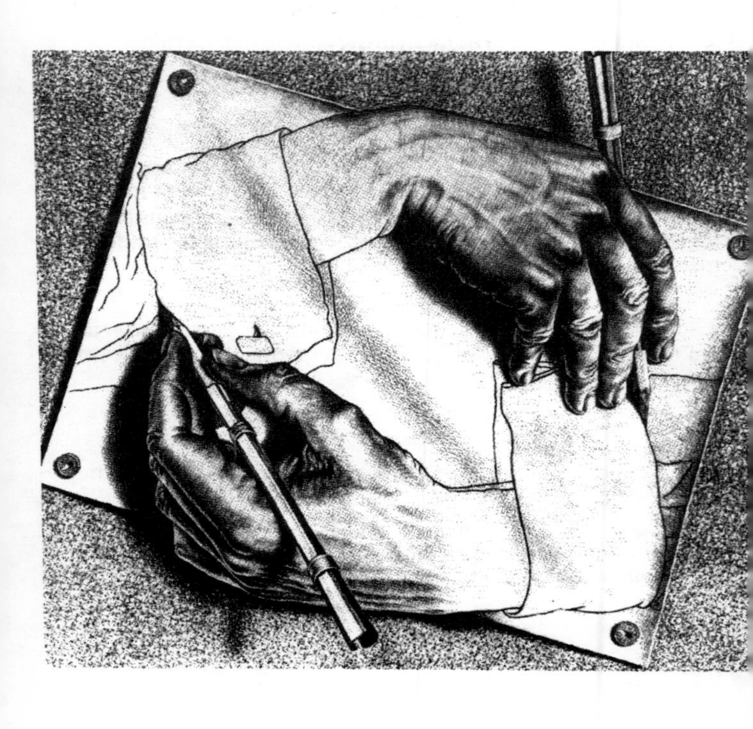

30

Palindromes

Palindromes

Le palindrome est un mot ou un groupe de mots (phrase, vers, etc.) que l'on peut lire dans les deux sens. Exemple : « radar » ou « Esope reste ici et se repose ». Les exemples que nous lirons ci-dessous, en anglais, ne peuvent évidemment pas se traduire en français sous forme de palindromes.

30 Palindromes

- Madam, I'm Adam.
- God! a dog!
- Lewd I did live & evil did I dwel.

- Able was I ere I saw Elba (Napoleon?).
- Niagara, O roar again!
- Sums are not set as a test on Erasmus.

- Nurse, I spy gypsies, run!
- Snug & raw was I ere I saw war & guns.

- Was it a car or a cat I saw?
- A man, a plan, a canal, Panama.
- Step on no pets.
- Was it Eliot's toilet I saw?
- Never odd or even.
- Ten animals I slam in a net.
- Now, Ned, I am a maiden nun; Ned I am a maiden won.

- To last, Carter retracts a lot.
- Sex at noon taxes.
- I, man, am regal; a German am I.

30 Palindromes

- Madame, je suis Adam.

- Dieu ! Un chien !

- Paillard j'ai vécu et mauvais sujet je suis resté.

  N.B. : **dwell :** *demeurer, habiter*, s'écrit aujourd'hui avec deux **l**.

- J'étais compétent avant de voir (l'île d') Elbe.

- Niagara, rugissez encore !

- Les problèmes ne sont pas donnés comme un test à propos d'Erasme.

- Infirmière, j'aperçois des gitans, courez !

- J'étais « pépère » et novice avant de voir la guerre et les canons.

- Était-ce une voiture ou un chat que j'ai vu ?

- Un homme, un projet, un canal : Panamá.

- Ne pas marcher sur les animaux.

- Était-ce les toilettes d'Eliot que j'ai vues ?

- Jamais impair ni pair.

- Dix animaux je colle dans un filet.

- Maintenant, Ned, je suis une religieuse vierge ; Ned, je suis une jeune fille (de) gagnée.

- Pour durer, Carter se rétracte beaucoup.

- Le sexe à midi, ça épuise.

- Moi, monsieur, je suis royal ; un Allemand je suis.

31

Politics

La politique

31 Politics

- Politics is the gentle art of getting votes from the poor and campaign funds from the rich by promising to protect each from the other. (Oscar Ameringer)
- Political ability is the ability to foretell what is going to happen tomorrow, next week, next month and next year. And to have the ability afterward to explain why it didn't happen. (Winston Churchill)
- Every politician is a promising politician. (G.K. Chesterton)
- There are some politicians who, if their constituents were cannibals, would promise them missionaries for dinner. (H.L. Mencken)
- A government which robs Peter to pay Paul can always depend on the support of Paul. (G.B. Shaw)
- Many of the politicians these days gas their audiences instead of electrifying them.
- I've spent much of my life fighting the Germans and fighting the politicians. It's much easier to fight the Germans. (Marshal Montgomery)
- The cheapest way to have your family traced is to run for office.
- An elected official is one who gets 51 percent of the votes cast by 40 percent of the 60 percent of voters who registered. (Dan Bennett)
- "Have you ever taken a serious political stand on anything?"
  "Yes. For twenty four hours I refused to eat grapes." (Woody Allen)
- An honest politician is one who, when he is bought, stays bought.
- It is now known that men enter local politics solely as a result of being unhappily married. (C. Northcote Parkinson)

31 La politique

- La politique c'est l'art d'amener en douceur les pauvres à donner leurs voix et les riches leur argent pour financer les campagnes électorales, en leur promettant (à tous) de les protéger les uns des autres.
- En politique tout le talent consiste à prédire ce qui va se passer demain, la semaine prochaine, le mois prochain et l'année prochaine. Et à être capable ensuite d'expliquer pourquoi ça ne s'est pas produit.
- Tout politicien est un politicien plein de promesse(s) (qui promet).
- Il est des politiciens qui, si leurs électeurs étaient cannibales, leur promettraient des missionnaires pour le dîner.
- Un gouvernement qui dépouille Pierre pour payer Paul peut toujours compter sur le soutien de Paul.
- Aujourd'hui il y a beaucoup de politiciens qui endorment leurs auditoires par de belles paroles au lieu de les électriser.

  to gas : *dorer la pilule*, *embobiner* et aussi, bien entendu, *gazer*.
- J'ai passé une grande partie de ma vie à me battre contre les Allemands et contre les politiciens. Il est beaucoup plus facile de se battre contre les Allemands.
- Le moyen le moins coûteux de faire étudier vos antécédents familiaux c'est de se présenter aux élections.
- Un fonctionnaire élu c'est quelqu'un qui obtient 51% des suffrages exprimés par 40% des 60% d'électeurs qui se sont fait inscrire (sur les listes).
- « Vous est-il jamais arrivé de prendre sérieusement une position politique à propos d'un problème quelconque ?
  — Oui. Pendant vingt-quatre heures j'ai refusé de manger du raisin. »
- Un politicien honnête c'est celui qui, une fois que vous l'avez acheté, vous reste acquis.
- Maintenant, tout le monde le sait : les hommes se lancent dans la politique (à l'échelle) locale uniquement parce qu'ils sont malheureux en ménage.

31 Politics

- He knows nothing and he thinks he knows everything. That points clearly to a political career. (G.B. Shaw)

- For years politicians have promised the moon. I'm the first one able to deliver it. (Richard Nixon. Message to astronauts.)

- We all know that Prime Ministers are wedded to the truth, but like other married couples they sometimes live apart. (Saki)

- It's no use telling politicians to go to hell. They are trying to build if for us now.

- This island is almost made of coal and surrounded by fish. Only an organizing genius could produce a shortage of coal and fish in Great Britain at the same time. (Aneurin Bevan)

- Every year thousands of people go to London to see the government in action and every year it's getting harder to tell whether that's one word or two.

- Politics is the art of looking for trouble, finding it whether it exists or not, diagnosing it incorrectly and applying the wrong remedy. (Sir Ernest Benn)

- Government is an institution through which sound travels faster than light.

- Parliament is so strange: a man gets up to speak and says nothing. Nobody listens — and then everybody disagrees. (B. Marshalow)

- I don't make jokes. I just watch the government and report the facts. (Will Rogers)

31 La politique

- Il ne sait rien et il croit tout savoir. Voilà qui le désigne clairement pour une carrière politique.

- Depuis des années, les politiciens (vous) promettent la lune. Je suis le premier à être en mesure de la donner.

- Nous savons tous que les Premiers ministres sont mariés avec la vérité, mais comme les autres couples mariés ils vivent parfois séparés.

- Il ne sert à rien de dire aux politiciens d'aller en enfer. C'est à sa réalisation qu'ils travaillent en ce moment.

- Cette île est presque entièrement constituée de charbon et entourée de poisson. Seul un génie de l'organisation pouvait réaliser la pénurie de charbon et de poisson, en même temps, en Grande-Bretagne.

- Chaque année des milliers de gens vont à Londres pour voir le gouvernement en action et chaque année il devient plus difficile de dire s'il s'agit d'un seul mot ou de deux.

  in action : *en action* ; mais en un seul mot cela devient **the government inaction :** *l'inaction du gouvernement*.

- La politique, c'est l'art de chercher les problèmes, de les trouver — qu'ils existent ou non —, de formuler un diagnostic incorrect et d'utiliser des remèdes qui ne conviennent pas.

- Le gouvernement est une institution au sein de laquelle le son se propage plus vite que la lumière.

- Le Parlement, c'est vraiment étrange : un homme se lève pour parler et il ne dit rien. Personne n'écoute — et ensuite tout le monde manifeste son désaccord.

- Je ne débite pas de plaisanteries. Je me contente d'observer le gouvernement et je rapporte les faits.

31 Politics

- A candidate for Parliament was constantly interrupted by a voice from the back of the hall shouting "Liar". Finally he broke off his speech and said: "If the gentleman interrupting me would give his name instead of his profession, I'm sure we'd all like to make his acquaintance."
- A rich Conservative chairman was boasting: "I give taxi drivers a big tip and tell them to vote Tory." "My way is better", said the poor Tory chairman, "I give them a really mean tip and tell them to vote Socialist."
- Female interruptor: If you were my husband I'd give you poison.
  Candidate: If you were my wife, I'd take it.
- He is one of those orators of whom it was well said: when they get up, they do not know what they are going to say; when they speak, they do not know what they are saying; and when they sit down, they do not know what they have said. (Winston Churchill)

- Un candidat au Parlement était constamment interrompu par une voix venant du fond de la salle qui criait : « Menteur ! » Finalement il arrêta son discours et dit : « Si le monsieur qui m'interrompt voulait bien donner son nom au lieu de sa profession, je suis sûr que nous serions tous très heureux de faire sa connaissance. »
- Un riche notable conservateur déclarait fièrement : « Je donne un gros pourboire aux chauffeurs de taxi en leur disant de voter conservateur. — Ma méthode est meilleure, dit son collègue peu fortuné, je leur donne un pourboire vraiment dérisoire et je leur dis de voter socialiste. »
- Une interruptrice : Si vous étiez mon mari je vous donnerais du poison.
  Le candidat : Si vous étiez ma femme, je le prendrais.
- Il est de ces orateurs dont on a pu dire à juste titre : quand ils se lèvent pour parler ils ne savent pas ce qu'ils vont dire ; quand ils parlent ils ne savent pas ce qu'ils disent, et quand ils se rassoient, ils ne savent pas ce qu'ils ont dit.

32

Psychiatrists
Psychiatres

32 Psychiatrists

- You go to a psychiatrist when you are slightly cracked and keep going until you are completely broke.

- A neurotic is a person who builds a castle in the air. A psychotic is the person who lives in it. A psychiatrist is the one who collects the rent. (Jerome Lawrence)

- Anyone who goes to a psychiatrist ought to have his head examined. (Sam Goldwyn)

- "Doctor, I want you to meet my husband: one of the men I told you about."

- Well, I don't know whether my little boy feels insecure, but everybody else in the neighbourhood certainly does. (V.L. Guffey)

- My psychiatrist charges me double fee because I have a split personality.

- I don't think I'll continue the treatment for a long time. He meddles too much in my private life. But my condition has improved a lot. I would never answer the phone because I was afraid. Now I answer even when it doesn't ring.

- When I told him I was suffering from a loss of memory, he said his fee was fifty guineas. Paid in advance.

- The problem is that six months ago I was Napoleon. And now, I am nothing.

- I told my psychiatrist that everybody hates me. He said I was being ridiculous. Everybody hasn't met me yet. (Rodney Dangerfield)

32 Psychiatres

- Vous allez chez le psy quand vous avez le cerveau légèrement fêlé et vous continuez d'y aller jusqu'au moment où vous êtes complètement fauché.

  broke : *sans le sou*, ressemble à **broken**, p. passé de **break :** *brisé.*

- Un névrosé c'est quelqu'un qui construit un château dans les nuages. Le psychotique, c'est celui qui vit dedans. Le psychiatre, c'est la personne qui touche le loyer.

- Quiconque va voir un psychiatre devrait se faire examiner la tête. (Il faut être fou pour aller consulter un psychiatre.)

- « Docteur, je vous présente mon mari : l'un des hommes dont je vous ai parlé. »

- Eh bien, je ne sais pas si mon petit garçon souffre d'un sentiment d'insécurité mais c'est certainement le cas de toutes les autres personnes du quartier.

- Mon psy me fait payer double tarif parce que je souffre d'un dédoublement de la personnalité.

- Je ne sais pas si je vais continuer le traitement longtemps. Il (le psy) s'immisce trop dans ma vie privée. Mais mon état s'est beaucoup amélioré. Autrefois, je ne voulais jamais répondre au téléphone, parce que j'avais peur. Maintenant je réponds même quand ça ne sonne pas.

- Quand je lui ai dit que je souffrais de troubles de la mémoire, il m'a dit que ses honoraires s'élevaient à cinquante guinées. Payables d'avance.

- Le problème c'est que, il y a six mois, j'étais Napoléon. Et maintenant je ne suis (plus) rien.

- J'ai dit à mon psy que tout le monde me haïssait. Il a dit que j'étais ridicule. Tout le monde n'a pas encore fait ma connaissance.

32 Psychiatrists

- A paranoiac is a person who thinks that others want to do to him what he would like to do to them.

- This psychiatrist cures people by shock treatment. He bills them in advance.

- "I keep wanting to paint myself with gold paint."
  "Oh, you've just got a gilt complex."

- "I'm worried, doctor. I keep thinking I'm a pair of curtains."
  "Stop worrying and pull yourself together."

- When does a cannibal go to a psychiatrist?
  When he is fed up with people.

- Three persons out of five go to psychiatrists. The other two *are* psychiatrists.

- A psychiatrist is a man who goes to the Folies Bergère and looks at the audience. (Dr Mervyn Stockwood)

- The conjuror pulls rabbits out of a hat while the psychiatrist pulls habits out of a rat.

- A psychiatrist is a person who deals with people who have the same problems we all have, but have more money.

32 Psychiatres

- Un paranoïaque, c'est quelqu'un qui croit que les autres veulent lui faire ce qu'il voudrait leur faire lui-même.

- Ce psychiatre guérit les gens grâce à un traitement de choc : il leur présente sa facture à l'avance.

- « J'éprouve constamment le désir de m'enduire d'une couche de peinture dorée.
— Oh, vous avez seulement un complexe de culpabilité ! »

  gilt : *doré*, se prononce comme **guilt** : *culpabilité*.

- « Je suis inquiète, docteur. Je ne cesse de me prendre pour une paire de rideaux.
— Cessez de vous tourmenter et reprenez vos esprits. »

  Prise à la lettre, l'expression **« pull yourself together »** signifie *tirez* (sur le cordon) *pour que les deux* (rideaux) *se joignent*.

- Quand un cannibale va-t-il voir un psy ?
Quand il en a jusque-là, des gens.

- Sur cinq personnes, trois consultent les psychiatres. Les deux autres *sont* des psychiatres.

- Le psychiatre, c'est l'homme qui va aux Folies-Bergère et qui regarde le public.

- Le prestidigitateur tire des lapins d'un chapeau tandis que le psychiatre extirpe les habitudes d'un personnage immonde.

  Exemple de **spoonerism** ou *contrepèterie*. **Rabbit... hat** devient **habit... rat** par échange des premières lettres de chaque mot.

- Un psy est une personne qui s'occupe de gens ayant les mêmes problèmes que nous tous, mais qui ont davantage d'argent.

1
WONT YOU SIT DOWN SIR
2
3
TRY THIS ONE SIR
4
TACK
5
INK
BRONCHO BILL
6
INK

33

Schools
Écoles

33 Schools

- You can't expect a boy to be depraved until he has been to a good school. (Saki)

- I liked Eton, except in the following respects: for work and games, for boys and masters.

- I was a modest, good-humoured boy. It's Oxford that has made me insufferable. (Max Beerbohm)

- Anyone who has been to an English public school will always feel comparatively at home in prison. (Evelyn Waugh)

- It takes most men five years to recover from a college education. (Brooks Atkinson)

- A man who has never gone to school may steal from a freight car, but if he has a university education he may steal the whole railroad. (T. Roosevelt)

- A man does not know what he knows until he knows what he does not know.

- It is better to be able neither to read nor to write than to be able to do nothing else. (William Hazlitt)

- There will be fewer underpaid teachers sooner or later because some of them will find another job.

33 Écoles

- On ne peut s'attendre à ce qu'un garçon soit dépravé tant qu'il n'a pas fréquenté une bonne école.

- J'ai aimé Eton, sauf dans les domaines suivants : le travail et les jeux, les élèves et les professeurs.

- Étant jeune, j'étais modeste et j'avais bon caractère. C'est Oxford qui m'a rendu odieux.

- Tout individu ayant fréquenté un grand collège anglais se sentira toujours plus ou moins comme chez lui en prison.

- Il faut à la plupart des hommes cinq années pour se remettre de leurs études supérieures.

- Un homme qui n'est jamais allé à l'école va peut-être voler dans un wagon de marchandises, mais s'il est allé à l'université, il pourra voler tout le chemin de fer.

- Un homme ignore ce qu'il sait jusqu'au moment où il sait ce qu'il ne connaît pas.

- Il vaut mieux ne savoir ni lire ni écrire que d'être incapable de faire autre chose.

- Il finira bien par y avoir tôt ou tard moins de professeurs souspayés car certains d'entre eux trouveront un autre emploi.

33 Schools

- The advantage of a classical education is that it enables you to despise the wealth which it prevents you from achieving.
- Nothing that is worth knowing can be taught. (Oscar Wilde)
- For every person wanting to teach, there are thirty not wanting to be taught. (W.C. Sellar)
- He who can, does. He who cannot, teaches. (G.B. Shaw)
- Everybody who is incapable of learning has taken to teaching. (Oscar Wilde)
- All our schools are finishing schools: they finish what has never been begun. (Chesterton)

- A school is a place where children go to catch cold from other children so they can stay home.

- I only went to school on the first day, just to find out when our vacation begins.
- It's one of those old-fashioned schools where you have to raise your hand before you can hit the teacher.
- "Here's my report card, daddy, and one of yours I found in the attic."
- "I heard you missed school yesterday."
  "Not a bit."

- "Look, Dad, here's my report. Look it over, please, and see if I can sue for defamation of character. (J. Marshall)

33 Écoles

- L'avantage d'une formation classique c'est qu'elle vous permet de mépriser la richesse qu'elle vous empêche de gagner.

- Rien de ce qui vaut la peine d'être su ne peut être enseigné.

- Pour chaque personne qui veut enseigner, il y en a trente qui ne veulent rien apprendre.

- Celui qui le peut, agit. Celui qui ne le peut pas, enseigne.

- Tous ceux qui sont incapables d'apprendre se sont fait enseignants.

- Toutes nos écoles sont destinées à achever : elles achèvent ce qui n'a jamais été commencé.

  a finishing school : *une école d'arts d'agrément* où l'on parachève l'éducation des jeunes filles.

- Une école est un lieu où les enfants vont attraper les maladies que leur passent les autres enfants, afin de pouvoir rester à la maison.

  to catch cold : *attraper un rhume*.

- Je ne suis allé à l'école que le premier jour, juste pour savoir quand commencent les vacances.

- C'est une de ces écoles à la mode d'autrefois où il faut lever le doigt avant de pouvoir taper sur le professeur.

- « Voici mon bulletin, papa, et un des tiens que j'ai trouvé dans le grenier. »

- « J'ai appris que tu avais manqué l'école hier ?
  — Pas le moins du monde. »

  you missed school peut aussi se comprendre *tu as regretté de ne pouvoir aller à l'école* ; *l'école t'a manqué*.

- « Regarde, papa. Voici mon bulletin. Examine-le bien, s'il te plaît. Et vois si je peux porter plainte pour diffamation. »

34

Success

Succès

34 Success

- He was a self-made man who owed his lack of success to nobody. (Joseph Heller)
- Be nice to people on your way up, because you'll meet them on your way down. (Wilson Mizner)
- Success is simply a matter of luck. Ask any failure. (Earl Wilson)
- The world is divided into people who do things and people who get the credit. (Dwight Morrow)
- Since I told the Chairman where he got off, he is a different man... and I'm in a different company.
- Success didn't spoil me; I've always been insufferable.
- The biggest trouble with success is that its formula is the same as that for a nervous breakdown. (John Holmes)
- If at first you don't succeed, try, try a couple of times more, then quit. There's no point in making a fool of yourself. (W.C. Fields)
- He had so much money he could afford to look poor. (Edgar Wallace)
- Just because nobody ever disagrees with you does not necessarily mean that you are brilliant. Maybe you are the boss. (John Holmes)
- Handicapped golfer: one who is playing with the boss.
- Congratulations on achieving your B.A. Now you must buckle to and learn the other twenty four letters. And this time, *get them in the right order!*

34 Succès

- Il s'était fait lui-même et ne devait à personne (le moindre merci pour) son manque de succès.

- Soyez aimable avec ceux que vous rencontrez pendant que vous montez, vous les retrouverez en redescendant.

- Le succès, c'est uniquement une question de chance. Tous les ratés vous le diront.

- Le monde se partage entre ceux qui font les choses et ceux qui en tirent du crédit.

- Depuis que j'ai dit au président qu'il pouvait aller se faire voir, il n'est plus le même homme... et moi, je ne suis plus dans la même société.

- Ce n'est pas le succès qui m'a gâché (le caractère) ; j'ai toujours été odieux.

- Le problème le plus ennuyeux, en ce qui concerne le succès, c'est que sa formule est la même que celle de la dépression nerveuse.

- Si vous ne réussissez pas du premier coup, essayez encore deux ou trois fois, ensuite laissez tomber. Cela ne vous avancerait à rien de vous couvrir de ridicule.

- Il avait tellement d'argent qu'il pouvait se permettre d'avoir l'air d'un pauvre.

- Ce n'est pas parce que personne n'est jamais en désaccord avec vous que vous êtes forcément brillant. C'est peut-être parce que vous êtes le patron.

- Joueur de golf souffrant d'un handicap : celui qui joue avec le patron.

- Félicitations pour ton B.A. (licence ès lettres). Maintenant, il faut te mettre au travail sérieusement et apprendre les 24 autres lettres. Et cette fois, mets-les dans le bon ordre !

  B.A. abréviation de **Bachelor of Arts**.

34 Success

- Behind every successful man is a woman with nothing to wear. (L. Grant)
- After failing his exam, a student wired home to his mother: "Have failed. Prepare Father." The next day he received a reply which said: "He knows. Prepare yourself."
- I'm never going to be famous... I don't do anything. Not a single thing. I used to bite my nails, but I don't even do that any more. (Dorothy Parker).
- See what would have happened to you if you hadn't stopped biting your finger nails. (Will Rogers in front of the *Venus de Milo*.)
- If living conditions don't stop improving in this country, we're going to run out of humble beginnings for our great men.

- Derrière chaque homme arrivé il y a une femme qui n'a rien à se mettre.
- Après avoir échoué à son examen, un étudiant envoya un télégramme à sa mère : « Suis collé. Prépare papa. » Le lendemain il reçut une réponse qui disait : « Il sait. Prépare-toi. »
- Je ne serai jamais célèbre... Je ne fais rien. Pas la moindre chose. Autrefois je me rongeais les ongles, mais même cela je ne le fais plus.

  to bite, bit, bitten : *mordre.*
- Tu vois ce qui te serait arrivé si tu n'avais pas cessé de te ronger les ongles. (Will Rogers devant la *Vénus de Milo*.)
- Si les conditions de vie ne cessent pas de s'améliorer dans notre pays nous allons nous retrouver à court d'origines modestes pour nos grands hommes.

35

Taxes

Impôts

35 Taxes

- Tax reduction: never was so little waited for by so many for so long.

- The only thing that hurts more than paying an income tax is not having to pay an income tax. (Lord Thomas R. Duwar)

- There is one difference between a tax collector and a taxidermist. The taxidermist takes only your skin. (Mark Twain)

- The best work of fiction he has ever been able to do is his income tax return.

- The new income tax authorities have now produced a new simple tax form with only two sections.
  a) How much money to you earn?
  b) Send it.

- A minister of finance is a legally authorized pickpocket. (Winston Churchill)

- I'm proud to be paying taxes in the United States. The only thing is I could be just as proud for half the money. (Arthur Godfrey)

- Few of us ever test our powers of deduction, except when filling out our income tax form.

35 Impôts

- Réduction d'impôts : jamais si peu n'a été attendu par un tel nombre pendant si longtemps.

  Formule démarquée de la phrase de W. Churchill sur les aviateurs anglais pendant la Bataille d'Angleterre : **« Never in the field of human conflict was so much owed by so many to so few. »**

- La seule chose qui soit plus douloureuse que de payer l'impôt sur le revenu c'est de ne pas avoir à payer d'impôt sur le revenu.

- Il y a une différence entre le percepteur et le taxidermiste. Le taxidermiste prend seulement la peau.

- La meilleure œuvre de fiction qu'il ait jamais été capable de rédiger c'est sa déclaration de revenus.

- Les nouveaux chefs du service des impôts ont mis au point une nouvelle formule simplifiée, avec deux rubriques uniquement.
  a) Combien d'argent gagnez-vous ?
  b) Envoyez-le.

- Un ministre des Finances est un pickpocket autorisé par la loi.

- Je suis fier de payer des impôts aux États-Unis. La seule chose, c'est que je pourrais être tout aussi fier pour deux fois moins cher.

- Nous sommes bien peu nombreux à exercer notre pouvoir de déduction, sauf quand il s'agit de remplir la déclaration des revenus.

36

Telephone

Téléphone

36 Telephone

- The person who says the art of conversation is dead never waited outside a phone booth for someone to finish talking.
- She is at the awkward age: she knows how to make phone calls but not how to end them.
- Once she got locked up in a phone booth but didn't realize it until one hour later.
- My wife is one of those women who can't see a telephone without picking up the receiver. (S. Maugham)
- The problem with her is that when I'm at the office, I can't get her on the phone and when I'm at home, I can't get her off the phone.
- This morning, she astonished me, though. She talked on the phone only twenty minutes.
  "It didn't take you long!" I said.
  "Of course! I'd got a wrong number."
- "Hey, answer the phone! Answer the phone!"
  "But it's not ringing!"
  "Why do you always leave everything to the last minute?" (Groucho Marx)
- What are the quickest ways of spreading news?
  Telephone — Telegram — Tell-a-woman.
- If a telephone and a piece of paper should run a race, which would win ?
  The telephone, because the paper would always remain stationery.
- "Can you telephone from an airplane?"
  "Who couldn't tell a phone from an airplane?"

36 Téléphone

- Ceux qui disent que l'art de la conversation est mort n'ont jamais attendu devant une cabine téléphonique que quelqu'un ait fini de parler.

- Elle est à l'âge difficile : elle sait comment il faut s'y prendre pour téléphoner mais elle ne sait pas arrêter la conversation.

- Un jour elle est restée bloquée dans une cabine mais elle ne s'en est rendu compte qu'au bout d'une heure.

- Mon épouse fait partie de ces femmes qui ne peuvent pas voir un téléphone sans décrocher le combiné.

- Le problème avec elle c'est que quand je suis au bureau je n'arrive pas à l'avoir au téléphone et quand je suis à la maison, je n'arrive pas à la décoller du téléphone.

- Pourtant, ce matin, elle m'a étonné. Elle n'a parlé que pendant vingt minutes au téléphone.
  « Tu n'as pas été longue, dis-je.
  — Naturellement! Je n'avais pas eu le bon numéro. »

- « Hé, réponds au téléphone ! Réponds au téléphone !
  — Mais il ne sonne pas !
  — Pourquoi faut-il que tu attendes toujours la dernière minute pour faire quelque chose ? »

- Quels sont les moyens les plus rapides de propager une nouvelle ?
  Le téléphone, le télégramme et... la dire à une femme.

- Si un téléphone et une feuille de papier devaient faire la course, qu'est-ce qui gagnerait ?
  Le téléphone, parce que le papier resterait toujours stationnaire (de la papeterie).

  stationary (*stationnaire*) et **stationery** (*papeterie*) se prononcent exactement de la même manière.

- « Peut-on téléphoner d'un avion ?
  — Qui serait incapable de reconnaître un téléphone d'un avion ? »

  La question peut se comprendre : **Can you tell a phone from a plane ? To tell... from** signifie *distinguer... de*.

37

Television
Télévision

37 Television

- Television is a medium where people with nothing to do watch people who can't do anything. (Fred Allen)
- They say TV is still in its infancy, which probably explains why you have to get up so often to change it. (M. Hynes)
- A few years ago people thought TV was impossible, and now they still do.
- I hate TV. I hate it as much as peanuts. But I can't stop eating peanuts. (Orson Welles)
- I believe in color TV when I see it in black and white. (Sam Goldwyn)
- TV personalities for the most part fall into two groups: those who have been dropped and those who are going to be dropped. (Dr Leslie Bell)
- TV's biggest problem is to kill time between commercials.
- I find TV very educating. Every time somebody turns on the set, I go into the other room and read a book. (Groucho Marx)
- The grand-children of the kids who used to weep because the little Match Girl froze to death now feel cheated if she isn't slugged, raped and thrown into a Bessemer converter. (J.L. Jones)
- Television kills the art of conversation. If we think of the type of conversation it's helping to kill, our gratitude must be undying. (George Mikes)
- TV is called a medium because so little of it is rare or well done. (R.G. Hunt)

37 Télévision

- La télévision est un média grâce auquel des gens qui n'ont rien à faire regardent des gens qui ne savent rien faire.

- Il paraît que la télévision est encore au berceau, c'est sans doute à cause de cela qu'il faut se lever si souvent pour la changer.

- Il y a quelques années, les gens pensaient que la télévision était impossible. Ils le pensent encore aujourd'hui.

  impossible peut également signifier *grotesque, ridicule.*

- Je déteste la télévision. Je la déteste autant que les cacahuètes. Mais je ne peux pas m'arrêter de manger des cacahuètes.

- Je crois en la télévision en couleurs quand je la vois en noir et blanc.

- Les stars de la télévision se classent en deux catégories : celles qui sont au placard et celles qui sont sur le point d'y aller.

  to drop : *laisser tomber, lâcher.*

- Le problème le plus ardu pour la télévision consiste à tuer le temps entre les publicités.

- Grâce à la télévision, je m'instruis considérablement. À chaque fois que quelqu'un l'allume, je vais dans la pièce voisine pour lire un livre.

- Les petits-enfants des gosses qui pleuraient parce que la petite marchande d'allumettes mourait de froid se sentent frustrés maintenant si elle n'est pas rouée de coups, violée et fourrée dans un convertisseur Bessemer.

- La télévision tue l'art de la conversation. Si nous pensons au type de conversation qu'elle contribue à tuer, nous lui devons une reconnaissance éternelle.

- La télévision est appelée un média parce qu'il y a très peu (de choses) en elle qui soit (d'une qualité) rare ou bien fait.

  Ces adjectifs **medium**, **rare** et **well done** s'emploient pour préciser le degré de cuisson de la viande et signifient respectivement *moyennement cuit* ou *à point*, *saignant* et *bien cuit.*

38

Weddings, honeymoons

Noces, lunes de miel

38 Weddings, honeymoons

- A woman worries about the future until she gets a husband. A man never worries about the future until he gets a wife.

- The honeymoon is over: 1) when the bridegroom stops helping with the dishes and does them himself; 2) when the dog fetches the slippers and the wife does the barking.

- After being asked what she thought of married life, the young bride answered:
  "There isn't much difference. I used to wait up half the night for Albert to go and now I wait up half the night for him to come home."

- It was a love match pure and simple. I was pure and he was simple.

- A honeymoon is a holiday that a man takes before starting work for a new boss. (J. Rhodes)

- The honeymoon is not over until we cease to stifle our sighs and begin to stifle our yawns. (Helen Rowland)

- The best way for a woman to preserve her wedding ring is to dip it in dish water three times a day.

- The best way to save money on your honeymoon is to go alone.

- The bride was so pleased with her wedding that she could hardly wait for the next one.

- "Mummy, did the bride change her mind?"
  "Of course not. Why do you say that?"
  "Well, she came into the church with one man and went out with another."

38 Noces, lunes de miel

- La femme s'inquiète pour l'avenir jusqu'au jour où elle se trouve un mari. L'homme ne s'inquiète jamais pour l'avenir avant de se trouver une femme.

- La lune de miel est terminée : 1) quand le mari cesse d'aider à faire la vaisselle et la fait tout seul ; 2) quand c'est le chien qui va chercher les pantoufles et la femme qui aboie.

- Quand on lui eut demandé ce qu'elle pensait du mariage, la jeune mariée répondit :
  « Il n'y a pas beaucoup de différence. Avant, je veillais la moitié de la nuit en attendant qu'Albert s'en aille et maintenant je veille la moitié de la nuit en attendant qu'il rentre. »

- Ce fut un mariage d'amour pur et simple. J'étais pure et lui, il était simple.

- La lune de miel ce sont des vacances qu'un homme prend avant de commencer à travailler pour un nouveau patron.

- La lune de miel ne se termine que lorsque nous cessons d'étouffer nos soupirs pour commencer à étouffer nos bâillements.

- La meilleure manière pour une femme de garder son alliance en bon état c'est de la tremper trois fois par jour dans l'eau de vaisselle.

- La meilleure façon d'économiser de l'argent sur le voyage de noce, c'est de partir seul.

- La mariée était si contente de ses noces qu'elle avait hâte de recommencer.

  Mot à mot : *elle pouvait à peine attendre le prochain (mariage).*

- « Maman, elle a changé d'avis la mariée ?
  — Bien sûr que non. Pourquoi dis-tu cela ?
  — Eh bien, elle est entrée dans l'église avec un homme et elle est ressortie avec un autre. »

38 Weddings, honeymoons

- "Do you believe in sex before the wedding, Reverend?"
  "Not, if it delays the ceremony."

- "Excuse me, are you the groom?"
  "No. I was eliminated in the semi finals."

- The bride thinks of three things when she walks into the church: aisle — altar — hymn.

- After they had got off the train, the bride said:
  "Darling, let's try to make people believe we have been married a long time."
  "All right. You carry the suitcases."

- If a bride wears white on her wedding day as a symbol of happiness, why do men wear black?

- « Croyez-vous au sexe avant le mariage, révérend ?
  — Non, si ça retarde la cérémonie. »

- « Excusez-moi, c'est vous le marié ?
  — Non. Moi j'ai été éliminé aux demi-finales. »

- La mariée pense à trois choses quand elle entre dans l'église : l'allée centrale (de l'église) — l'autel — le cantique.

  Mais **aisle altar hymn** se prononce exactement comme **I'll alter him** ce qui signifie : *je vais le changer, le faire évoluer*.

- Quand ils furent descendus du train, la mariée dit :
  « Chéri, essayons de faire croire aux gens que nous sommes mariés depuis longtemps.
  — D'accord. Tu portes les valises. »

- Si une mariée s'habille en blanc le jour de son mariage pour symboliser le bonheur, pourquoi les hommes s'habillent-ils en noir ?

39

Wives

Les épouses

39 Wives

- A gentleman is a man who gets up to open the door for his wife to bring the coal in.

- Here lies my wife, so let her lie!
  Now she's at rest, and so am I! (John Dryden)

- I've got only three weeks left to live — then my wife comes back from her mother's.

- Everyone knows that the real business of a ball is either to look out for a wife, to look after a wife, or to look after somebody else's wife. (R.S. Switees)

- "Tell me, waiter, have you seen the pretty young girl that was selling flowers?"
  "Oh, you are looking for flowers?"
  "No. I'm looking for my husband."

- I'd like to buy some flowers for the woman I love but my wife won't let me.

- "Who introduced you to your wife?"
  "We just met. I don't blame anyone."

- What an exciting weekend we had. My wife and I were standing in front of a wishing well — and she fell in! I didn't realize those things worked!

- A good wife is good, but the best wife is not so good as no wife at all. (Thomas Hardy)

- That woman told her husband: "Be an angel and let me drive." He did and he is. (Bob Goddard)

39 Les épouses

- Un gentleman est un monsieur qui se lève pour ouvrir la porte quand sa femme apporte le charbon.

- Ci-gît ma femme, et qu'elle y reste !
Maintenant elle est au repos, et moi aussi !

- Je n'ai plus que trois semaines à vivre — ensuite, ma femme revient de chez sa mère.

- Tout le monde sait que la vraie raison d'un bal, c'est soit de rechercher une femme, de s'occuper de sa femme ou de s'occuper de la femme d'un autre.

- « Dites-moi, garçon, avez-vous vu la jolie fille qui vendait des fleurs?
— Oh, vous cherchez des fleurs ?
— Non. Je cherche mon mari. »

- J'aimerais acheter des fleurs pour la femme que j'aime mais ma femme ne le veut pas.

- « Qui vous a présenté à votre femme ?
— Nous nous sommes rencontrés par hasard. Je ne blâme personne. »

- Nous avons eu un week-end vraiment passionnant ! Ma femme et moi nous étions debout devant un puits où l'on formule ses vœux... et elle est tombée dedans ! Je ne pensais pas que ça marchait, ces trucs-là !

- Une bonne épouse, c'est bien, mais la meilleure des épouses, c'est moins bien que pas d'épouse du tout.

- Cette femme a dit à son mari : « Sois un ange et laisse-moi conduire. » Il l'a fait, et il en est devenu un.

39 Wives

- I used to think my wife was an angel. And I still do. For three reasons: 1) she's always up in the air; 2) she's never got anything to wear and 3) she's always harping on about something.

- Wife: Mr Watt next door blows his wife a kiss every morning as he leaves the house. I wish you'd do that.
Husband: But I hardly know the woman! (Alfred Macgee)

- Do you know what it means to come home at night to a woman who'll give you a little love, a little affection, a little tenderness ? It means you're in the wrong house, that's what it means. (Henry Youngman)

- Je pensais autrefois que ma femme était un ange. Et je le crois encore. Pour trois raisons : 1) Elle est toujours dans l'air ; 2) elle n'a jamais rien (à se mettre) sur le dos et 3) elle est toujours en train de jouer de la harpe.

  she's always up in the air, signifie en fait : *elle est toujours de mauvaise humeur* ; **to harp on about sth.** : *rabâcher toujours la même chose.*

- La femme : Notre voisin, M. Watt, envoie un baiser à sa femme chaque matin au moment où il part de chez lui. J'aimerais bien que tu en fasses autant.
Le mari : Mais je la connais à peine, cette femme !

- Sais-tu ce que c'est que de rentrer au logis le soir pour trouver une femme qui te donne un peu d'amour, un peu d'affection, un peu de tendresse ? Eh bien, c'est que tu t'es trompé de maison (n'es pas chez toi). Voilà ce que ça veut dire.

40

Women

Les femmes

40 Women

- A beautiful woman is one I notice. A charming woman is one who notices me. (John Erskine)

- Gold digger: a girl who's got what it takes to take what you've got.

- Brigands demand your money or your life, whereas women require both. (Ambrose Bierce)

- What is woman? Only one of Nature's agreeable blunders. (H. Cowley)

- "Do you believe in clubs for women?"
  "Only if every other form of persuasion fails."
  (M. Kauffmann)

- When a woman is looking for a husband she is either single or married.

- The best way to fight a woman is with your hat. Grab it and run. (H.L. Mencken)

- The only way to behave to a woman is to make love to her if she is pretty and to someone else if she is plain. (Oscar Wilde)

- When a woman says she can read you like a book you are finished. (W.G. Comer)

- Every time I meet a girl who can cook like my mother, she looks like my father.

40 Les femmes

- Une belle femme, c'en est une que je remarque. Une femme charmante, c'en est une qui me remarque.

- Aventurière : une femme qui a ce qu'il faut pour prendre ce que vous avez.

  gold digger : *chercheuse d'or*.

- Les brigands vous demandent la bourse ou la vie, tandis que les femmes exigent les deux.

- Qu'est-ce que la femme ? Uniquement l'une des erreurs agréables de la nature.

  Cf. **man is nature's only blunder** : *l'homme est la seule erreur de la nature*.

- « Vous croyez aux clubs pour les femmes ?
  — Uniquement si tous les autres moyens de persuasion échouent. »

  Jeu de mots sur **club** qui peut également signifier : *trique, gourdin*.

- Quand une femme cherche un mari, ou bien elle est célibataire, ou bien elle est mariée.

- La meilleure façon de lutter contre une femme, c'est avec votre chapeau. Vous l'empoignez (le chapeau) et vous prenez vos jambes à votre cou.

- La seule façon de se comporter envers une femme c'est de lui faire la cour si elle est jolie, ou de la faire à une autre, si elle est laide.

  to make love : *faire la cour* (sens premier).

- Quand une femme dit qu'elle lit en vous comme dans un livre, vous êtes fichu.

- Chaque fois que je rencontre une jeune fille qui sait faire la cuisine comme ma mère, elle ressemble à mon père.

40 Women

- Why are women like umbrellas?
  1. They are made out of ribs.
  2. They look their best when dressed in silk.
  3. It's usually your best friend who takes them away from you.
  4. They are accustomed to reign.

- Pourquoi les femmes sont-elles comme des parapluies ?
  1. [Elles sont faites à partir d'une côte.
     [Ils sont constitués de baleines.
  2. Les plus joli(e)s sont revêtu(e)s de soie.
  3. C'est généralement votre meilleur ami qui vous les pique.
  4. [Elles ont l'habitude de régner.
     [Ils ont l'habitude de la pluie.

a rib : *une côte, une baleine* (de parapluie) ; **to reign :** *régner* se prononce comme **to rain :** *pleuvoir.*

Index des noms cités

Cet ouvrage a été composé par TÉLÉ-COMPO - 61290 BIZOU

Impression réalisée sur Presse Offset par

47558 – La Flèche (Sarthe), le 23-06-2008
Dépôt légal : octobre 1991
Suite du premier tirage : juin 2008
POCKET – 12, avenue d'Italie - 75627 Paris cedex 13

Imprimé en France